LE MASQUE
Collection de romans d'aventures
créée par
ALBERT PIGASSE

———

MA BELLE IRLANDAISE

Exbrayat

MA BELLE
IRLANDAISE

Librairie des Champs-Élysées

CHAPITRE I

Je viens de croiser Bob Emblestone et Gilbert Wagner, deux de mes collègues. Nous nous sommes lancé un « ça va ? » avec gentillesse ; pourtant, je sais parfaitement que dès qu'ils seront assez éloignés pour que je ne les entende plus, Bob (à moins que ce ne soit Gilbert) dira : « Ce pauvre Patrick a toujours l'air aussi ahuri » et Gilbert (à moins que ce ne soit Bob) renchérira : « Il ne changera plus à son âge. Niais il est, niais il restera. » Constatation faite sur un ton de vraie camaraderie, car ils m'aiment bien, l'un et l'autre, comme m'aime tout le monde, dans le service. Les hommes, parce que je ne suis pas un rival pour leur avancement, les filles parce qu'elles s'attendrissent sans cesse un peu en me voyant. Il faut dire que je suis un assez beau garçon. Brun aux yeux bleus — que je tiens de ma grand-mère maternelle, Mary Mac Collan et de toute hérédité irlandaise —, j'ai des épaules de déménageur et j'excelle à peu près dans tous les sports. Malheureusement, ce qui me prive de conquêtes faciles ou de rechercher l'âme sœur avec qui je pourrais fonder le foyer dont je rêve, c'est que tout le monde est persuadé que je suis un imbécile.

Cette opinion, me concernant, vient de loin. Elle est née au sein de ma famille. Je devais avoir dans les huit ans. Un soir, mes parents et mon oncle Liam jouaient au Monopoly avec mon frère aîné Ruash. J'étais chargé de la caisse mais, captivé par le jeu, j'oubliais de tenir les comptes si bien qu'à la fin de la partie, il fut impossible de démêler dettes et profits ni de savoir qui devait quoi à qui. Mon père — Sean Mulcahy — ne se mettait jamais en colère. Après ma bévue, il se contenta, en soupirant, de confier à haute et intelligible voix à ma mère :

— Maureen, je crains que notre Patrick ne soit un peu idiot.

Aussitôt, son sang irlandais bouillonna dans les veines de mummy.

— Sean, il faut vraiment que vous soyez un père dénaturé pour insulter un pauvre enfant qui ne peut se défendre.

— Je n'insulte pas, je constate. Figurez-vous que je me sens aussi humilié que vous d'avoir un fils à l'intellect déficient.

Maman rugit :

— Et à qui doit-il cette déficience, d'après vous ?

— A son hérédité maternelle. Vous n'ignorez pas que les gens du Donegal sont fous ?

— Et vous autres, du Connemara, vous êtes des ivrognes !

Ce fut une soirée dramatique. Mon père et ma mère se lancèrent de très vilaines épithètes en dépit des tentatives de médiation de l'oncle Liam, un célibataire, cadet de mon père et qui me témoignait beaucoup d'affection. Naturellement, le lendemain matin, tout le monde avait oublié la querelle de la veille. Le chef de famille, imprimeur de son état, était retourné à sa presse, sa femme à l'église et à son fourneau, l'oncle Liam au commissariat de police où il était inspecteur principal et mon frère Ruash (de dix ans mon aîné) à son école d'architecture. Assez étrangement, le seul souvenir qui persista de cette soirée, ce fut cette réputation d'imbécile qui, depuis lors, ne m'a pas quitté. Je me suis toujours demandé pourquoi.

Mes grands-parents avaient abandonné l'Irlande après la Première Guerre mondiale, en emmenant mon père âgé de dix ans. Ils étaient venus s'installer à Mayoworth, petite bourgade sur la North Fork dans l'Etat de Wyoming où ils se lancèrent dans l'élevage des chevaux. Ils y réussirent assez bien, suffisamment, en tout cas, pour envoyer mon papa à Casper où, lorsqu'il eut appris le métier, ils lui achetèrent une petite imprimerie. Mon oncle Liam, esprit combatif, s'il en fut, gagna l'Ecole de Police de Cheyenne. C'est à Casper que mon père épousa une jolie Irlandaise qui servait dans un restaurant. Mes parents, par une sorte de snobisme attendrissant — et pour se différencier des Américains — mettaient un point d'honneur à conserver les mœurs du vieux pays qu'ils ne connaissaient que par ouï-dire. Mes grands-parents maternels, morts trop tôt, eurent très peu d'influence sur mon caractère. Par contre, j'admirais beaucoup mon père et mon oncle. J'adorais ma mère. Quelquefois, le soir, avant de m'envoyer au lit, mon père nous parlait joliment de l'Irlande, où il n'avait jamais remis les pieds. Aux vacances, lorsque j'allais vivre un mois auprès de mes grands-parents de Mayoworth, le temps que je ne passais pas avec les chevaux, je le passais à écouter le vieux Edmund Mulcahy m'entretenir d'une Irlande qu'il réinventait avec la complicité de ma grand-mère Mary si bien que j'ai toujours cru — et même aujourd'hui — que l'Irlande est le plus beau pays du monde.

Il y a de cela trente ans. Mon père et ma mère vivent encore. Mes grands-parents sont enterrés à Mayoworth. Mon frère est architecte en Georgie. Il est marié et a déjà quatre gosses. Quant à mon oncle, ses talents de policier ont été reconnus. Aujourd'hui, il dirige un service important de la C.I.A. à Washington. Il demeure le seul des Mulcahy à ne pas me croire stupide. Je n'ai jamais deviné les raisons de cet entêtement des autres à me définir tel que je ne suis pas. Car je sais parfaitement que je ne suis pas plus sot que la majorité de mes compatriotes. Simplement, j'éprouve une insurmontable difficulté à me détacher du côté humain de tout ce que j'entreprends. Je réussissais assez bien en classe, cependant on me dégoûta très vite des études en me persuadant — sans méchanceté, mais par conviction — que je n'étais pas bâti pour apprendre. Dans tous les métiers que j'exerçai, je me montrai inférieur aux tâches imposées. Je fus chassé de l'épicerie de Mr Corskrew parce que je distribuais les bonbons aux pauvres gosses écrasant leurs visages envieux contre nos vitrines. Je quittai Mr Folship, le boucher, ne pouvant supporter de tripoter la viande saignante. Expulsé du magasin de nouveautés de Mrs Longham sous prétexte que je parlais de n'importe quoi aux clients au lieu de leur vanter les qualités des vêtements que j'étais chargé de leur vendre, j'entrai chez le vieux Jasper, le libraire de la place de la Mairie. Je n'y restai guère, trop occupé à lire les livres que je devais recommander aux chalands. Le service militaire me sortit momentanément d'affaire. Pour essayer de me guérir de cette sentimentalité qui me paralysait, je m'engageai dans les Marines. J'en ai bavé au-delà de tout ce qu'on peut imaginer. De deux années de guerre au Vietnam, je suis revenu intact et plus solide encore qu'auparavant. Démobilisé, je me retrouvai sur le sable à vingt-cinq ans. Glissant à la dérive, en dépit de mes médailles, dans une société où je ne parvenais toujours pas à trouver ma place, j'étais en danger de couler lorsque l'oncle Liam, une fois de plus, se porta à mon secours. Je me rendis à Washington où le tonton me convoquait.

Le décor où vivait mon oncle, dans le parc de Langley, proche de la Maison-Blanche, eût intimidé n'importe qui, surtout si on connaissait la puissance de la C.I.A. Liam Mulcahy ne perdit pas de temps en formalités familiales.

— Alors, mon garçon, tu en as eu assez de jouer les héros ?

— On ne m'a jamais demandé si cela me plaisait ou non.

— Qu'as-tu l'intention de faire ?

— Je ne sais pas.

— Tu me peines !

— Pourquoi ?

— Parce qu'à vingt-cinq ans, quand on n'a pas de boulot, on accepte n'importe quoi et sitôt qu'on a mis quelques sous de côté, on se marie et on est foutu. C'est ce à quoi tu aspires ?

— Certainement pas !

— La forme est bonne ?

— Excellente !

— Je le souhaite pour toi parce que tu vas passer des jours difficiles au cours de la prochaine semaine.

— Croyez-vous que c'était facile au Vietnam ?

Pendant les jours qui suivirent, j'en ai bavé. Il m'a fallu courir, sauter, plonger, lutter, boxer. En bref, je fus soumis aux épreuves physiques les plus variées et les plus dures. Au terme de ces heures harassantes, l'oncle Liam me reçut à nouveau :

— Tu as été bon. Veux-tu rentrer chez nous ?

— A la C.I.A. ?

— Oui.

C'est de cette façon que, sans le moindre enthousiasme, je suis devenu un agent des services spéciaux américains. Très vite, j'ai appris ce que doit penser un employé de la C.I.A. : aucun service secret au monde ne peut rivaliser avec notre Agence et les seules gens dont nous devons nous méfier sont ceux qui composent ce ramassis de bons à rien constituant le F.B.I.

Je me suis mis avec ardeur à la tâche, faisant même du zèle, initiative malencontreuse qui me rendit — un temps — antipathique à mes collègues et redonna une force nouvelle à la calomnie prétendant que j'étais un demeuré. Pour tenter d'être bien noté des autorités supérieures, j'obtins de mon oncle de participer aux grandes affaires menées par la C.I.A. Hélas ! en dépit de mon passage chez les Marines, malgré la guerre et ses horreurs obligées, j'étais resté l'adolescent sensible, donnant des bonbons aux gosses de la rue et se permettant des rabais insensés sur les jupes ou les pull-overs que désiraient ardemment de pauvres filles n'ayant pas cinq dollars dans leurs sacs. Si je me fis remarquer par les patrons de la C.I.A., ce ne fut pas pour des réussites spectaculaires, mais plutôt pour des gaffes qui firent la joie de l'Organisation et plongèrent mon oncle dans des accès de fureur démentielle. Ce calvaire durait déjà depuis plus de dix ans. J'étais devenu le héros absurde du folklore-maison, à cause d'une mésaventure qui eut pour décor le canal de Panama. Au lieu de faire le coup de feu contre les révolutionnaires qui ne voulaient plus de nous, je consolai et m'efforçai de distraire quelques bambins perdus dans la bataille. Je m'occupais si parfaitement de mes nouveaux amis que mes compatriotes, réembarquant, m'oublièrent. Il fallut revenir me chercher et, par ma faute, l'expédition faillit tourner au désastre. Le lendemain de mon retour, une note de mon oncle m'enjoignit de ne plus quitter mon bureau sous aucun prétexte. Je devins donc un simple bureaucrate et, ma foi, je ne m'en portai pas plus mal.

Cramponné au célibat, je m'étais bâti une existence fort agréable ou, du moins, qui me convenait à merveille. J'habitais un studio ensoleillé à proximité de Rock Creek Park. Mrs Bridge, ma propriétaire, tenait mon ménage et je prenais mes repas dans un bar de Irving Street. Tous les mois, je passais un dimanche chez mon oncle Liam qui avait fini par se marier avec Clara Cheverly, une employée de la C.I.A., naturellement. Chaque trimestre, je me rendais à Mayoworth, pour me retremper dans l'atmosphère de mon enfance. Je repartais avec le regret de n'avoir pas, moi aussi, consacré ma vie aux chevaux.

Parfois, j'ébauchais un flirt avec une fille aussi solitaire que moi. Ça n'allait jamais très loin car ceux-là qui se plaignent de leur solitude tremblent généralement à l'idée de la perdre. L'exemple de mon oncle qui ne semblait pas tellement heureux avec sa Clara me renforçait dans mes dispositions instinctives quant au célibat. A trente-cinq ans, n'ayant plus aucune ambition, j'attendais, sans impatience, l'heure bénie de la retraite qui me permettrait de me retirer à Mayoworth et d'élever deux ou trois poulains pour le plaisir.

Un jeudi, je m'amenai tranquillement, sans appréhension ni impatience. Je savais que je trouverais mon bureau propre et en ordre grâce aux soins de

Mrs Leadore, femme de ménage qui, depuis huit ans, nettoyait le côté droit de mon étage. Je m'assiérais dans mon fauteuil pour résumer, après en avoir pris connaissance, des dossiers sans intérêt que je classerais par la suite, entremêlant ces travaux insipides de la lecture passionnée des quotidiens hippiques.

Seulement, à peine étais-je installé et sans que j'aie encore pu ouvrir le premier de mes dossiers, le téléphone sonna. Le fait était rare. Qui aurait pu avoir besoin de moi ? Je décrochai. Mon oncle m'appelait de toute urgence dans son bureau. Le tonton avait son visage des mauvais jours. D'entrée, je fis mon possible pour l'amadouer. Jovial, je lui demandai :

— Ça va ?

— Non.

— Ah ?

— Ça ne va même pas du tout, si vous tenez à le savoir, Patrick.

— A cause ?

— De vous.

Là, j'ai deviné que j'allais passer un mauvais moment.

— Asseyez-vous... et essayez de comprendre.

— Comprendre quoi ?

— Taisez-vous, nom de Dieu !... Patrick, je n'ai pas le temps de dresser le bilan de vos erreurs, gaffes et échecs depuis que j'ai eu la stupidité de vous faire entrer dans mon service.

— Je croyais qu'on ne parlait plus de ces histoires anciennes ?

— Malheureusement, d'autres en parlent. En dix mots comme en cent, les « huiles » s'interrogent sur ce que vous fichez ici.

— Et vous ne le leur avez pas expliqué ?

— Non !

— Pourquoi ?

— Parce que je ne sais pas, moi non plus, ce que vous y faites... Vous pourriez me dire, vous, à quoi vous vous occupez ?

— Ma foi...

— Vous voyez ? Patrick, donnez-moi votre démission, c'est le seul moyen de nous en sortir.

— Nous ?

— Vous pensez bien qu'en haut lieu, je suis tenu pour responsable de votre impéritie.

— Navré pour vous, tonton, mais je ne peux pas renoncer à ma retraite, ou, tout au moins, à de substantielles indemnités de licenciement !

— Ingrat, en plus !

— Prudent, mon oncle.

— Eh bien ! puisqu'il en est ainsi, vous allez partir en mission.

— Moi ?

— Vous et ne discutez pas ! Nous jouons notre dernière carte, une carte difficile. A la suite de cette mission, trois hypothèses : ou vous êtes tué et, du coup, tous nos problèmes sont résolus...

— Je préférerais une autre éventualité, si vous n'y voyez pas d'inconvénient.

— Deuxième hypothèse : vous échouez et c'est la porte sans indemnités. Enfin, on peut envisager que vous réussissiez. Alors, vous renforcez ma position et vous devenez quelqu'un dans la maison.

— J'ai le choix ?

— Non.

— Alors, confiez-moi ce dont il s'agit !

— D'accord, mais rappelez-vous que c'est « top secret », hein ?

— Je ne l'oublierai pas.

— Je l'espère pour vous et pour moi. Une histoire classique dans notre métier. Une fille pas très jolie, plus très jeune. On la jugeait à l'abri de toutes les aventures et c'est pourquoi elle avait la confiance de nos Messieurs et ce, d'autant plus qu'elle était chez nous depuis onze ans. Secrétaire particulière d'un de nos chefs, elle rencontra un homme ni beau ni laid, banal comme elle. Il se disait anglais et prétendait répondre au nom de Simon Ward. Il ne joua pas les don Juan avec Joan Uphall — la secrétaire en question —, se contentant d'évoquer son rêve d'un petit bonheur simple et tranquille. Exactement ce que souhaitait Joan. Le bonhomme était très fort et avait, sans doute, bien étudié la psychologie de miss Uphall. Lorsqu'elle devint sa maîtresse, la mentalité de la malheureuse changea complètement. Peu à peu, pour ne pas perdre l'homme de sa vie, elle se voulut prête à tout. Elle annonça son mariage avec Simon Ward, sujet britannique, né à Applecourt dans le Lincolnshire. Une semaine ou deux avant les noces, Simon avoua à sa fiancée qu'il était traqué par la mafia des jeux et que, s'il ne remboursait pas sous les cinq jours une dette de 50 000 dollars, Joan serait veuve avant que d'être mariée. Affolée, n'admettant à aucun prix de renoncer à son amour, miss Uphall accepta — pour payer la dette — de photographier les documents auxquels elle avait accès et concernant les dispositions stratégiques et logistiques de l'OTAN dans l'Atlantique Nord. La pauvre fille n'était plus en état de juger les actes que l'autre canaille exigeait d'elle. Elle trahit donc son pays. Pour rien. En effet, sitôt qu'il eut le film en sa possession, Simon disparut. Alors seulement, Joan réalisa ce qu'elle avait fait. Pour l'achever, une note lui apprit qu'à Applecourt, aucun Ward n'avait vu le jour depuis cent quarante ans. Par contre, la description physique du tendre Simon ressemblait furieusement à celle d'un apatride, Sigurd Unsergrifft, originaire de nulle part et gagnant sa vie dans l'achat et la revente de documents militaires que de trop crédules créatures lui procuraient. La note conseillait vivement à miss Uphall de se méfier. L'avertissement venait trop tard et Joan, effondrée à l'idée d'avoir été le jouet d'un espion, d'être devenue traîtresse à son pays, rédigea une longue confession avant de se jeter, hier, sous le métro. Tout le monde, ici, aimait bien Joan, c'est pourquoi vous pouvez être certain, Patrick, que votre cote remontera en flèche si vous la vengez.

— Moi ?

— Vous !

— Mais, comment ?...

— Ne m'interrompez pas, je vous prie ! Vous allez partir à la recherche de ce Sigurd. Nous savons, par des allusions faites à sa victime, qu'il se propose, avec ses microfilms, de passer au Canada. Toutefois, il doit prendre beaucoup de précautions car, chez nos voisins, il est recherché pour meurtre sur plainte de Scotland Yard. Il a donc l'intention d'attendre son passeur dans une petite ville du Montana, proche de la frontière. Il faut que vous réussissiez à démasquer Sigurd avant que l'autre ne le rejoigne. D'après nos sources et des prévisions raisonnées, notre gibier se cache à Browning, Sholby ou Cut Bank. Vous avez trois jours pour le dénicher. A 5 heures et demie, un avion vous emmènera à Great Falls, où vous commencerez vos recherches.

— Je vous jure que je suis incapable de...

— Si vous ne partez pas pour Great Falls, Patrick,

il sera inutile de revenir ici demain. Vous serez limogé pour incompétence.

Que pouvais-je faire ?

Avec l'enthousiasme d'un bœuf qu'on mène à l'abattoir, je promis de partir le soir même.

— J'ai fait beaucoup pour vous, Patrick, jusqu'ici. A votre tour de m'aider en vous sauvant.

— Tonton, puis-je savoir à quoi ressemble l'enfant de salaud que vous m'envoyez arrêter ?

— Descendez aux archives, on vous montrera tout ce qu'on possède sur lui, mais ne vous attendez pas à ce qu'il ressemble, en quoi que ce soit, au portrait que nous en a tracé la pauvre Joan... Je vous ai signé un billet pour l'armurier. Vous y choisirez l'arme que vous voudrez. Bonne chance, mon neveu.

— Encore un mot, tonton. Qu'est-ce que je fais du bonhomme, si je réussis à l'arrêter ?

— Ce que vous voudrez.

— Hein ?

— Imposez-vous un effort de compréhension, Patrick. Je me fous éperdument de cette canaille. Ce que j'entends que vous récupériez, ce sont le ou les microfilms qu'il possède.

— D'accord, mais lui ?

— Abattez-le !

Je n'arrivais plus à avaler ma salive.

— Que je l'...

— Patrick, ayez la bonté de vous rappeler que vous appartenez à la C.I.A. et non à l'Armée du Salut ! Quand vous tirerez sur ce salopard, pensez à Joan qu'il a littéralement poussée sous les roues du métro.

Aux archives, parmi les employés, il y avait un sexagénaire — Bill Sarolay — qu'on gardait en activité malgré son âge parce qu'il possédait une mémoire phénoménale entretenue, pendant près de quarante ans, par des exercices journaliers. Nos rapports s'affirmaient des plus cordiaux car il était un doux qui, comme moi, n'appréciait ni la violence ni la brutalité naturelles de nos collègues.

— Salut, Bill !

— Salut, Patrick ! Pas encore retourné dans le Wyoming pour élever des chevaux ?

— Non, je me rends dans le Montana pour tenter de coincer un sale bonhomme.

— Et c'est pour ça que vous êtes là ?

— Oui, il faut que vous me donniez les renseignements que vous possédez sur ce gars. J'ignore tout de lui.

— J'espère que vous connaissez au moins son nom ?

— Deux de ses noms ! Simon Ward ou Sigurd Unsergrifft...

— ... ou Aldous Howelock ou Manuel del Rio. Mon vieux, le boulot qu'on vous a filé n'est pas de la tarte et si vous échouez, on ne vous pardonnera pas, à cause de Joan. Vous êtes au courant ?

— Oui.

— Pauvre fille...

Tout en parlant, Bill est allé à un tiroir d'où il a sorti un dossier.

— ... voilà tout ce qu'on sait sur votre gibier. Installez-vous là et lisez.

J'obéis et pendant plus d'une heure, j'étudie le palmarès des actes criminels commis par Sigurd Unsergrifft (il semble bien que ce soit là son vrai nom), né à Riga, capitale de l'ex-Lettonie, vers 1938. Il est d'ailleurs possible que ce pedigree s'avère un tissu de mensonges. Pour ne pas tomber sous la coupe des

Soviétiques, les Unsergrifft émigrèrent en Suède. En 1960, le jeune Sigurd entra en relation avec le monde dangereux des agents secrets. Depuis, renonçant à appartenir à tel ou tel service, il se veut indépendant et vend à n'importe qui ce qu'il a volé à n'importe qui. Recherché par nombre de polices, il a un minimum de huit meurtres sur la conscience, s'il en a une, ce qui paraît douteux. Quant à ses photos, elles me plongèrent dans un profond désarroi. Je me dis qu'il n'est pas possible que ce soit la même personne qui figure sur les clichés que je tiens entre les doigts. Tantôt on peut croire qu'il s'agit d'un homme grand et maigre, tantôt d'un petit gros ou encore d'un quadragénaire placide, genre pêcheur à la ligne du dimanche à moins que ce ne soit un danseur mondain aux boucles romantiques et à l'œil de braise. Jamais je ne m'en sortirai... De cette accumulation de tuyaux inutiles, je ne retiens qu'une observation revenant dans la plupart des notes consacrées à Sigurd : il adore être pris pour un Anglais et s'efforce de parler avec l'accent d'Oxford quand l'occasion lui est offerte de s'exprimer dans la langue de Shakespeare. Je rends son dossier à Bill qui remarque, apitoyé :

— Plutôt mince, hein ?

— C'est le moins que l'on puisse dire !

— Bonne chance quand même, mon pauvre vieux !

— Merci.

Je n'ai guère la joie au cœur en rentrant chez moi. Je n'étais pas optimiste en quittant Bill mais, après ma visite à Bert, responsable de l'armurerie, je suis dans le trente-sixième dessous et le poids du Smith et Wesson dans ma poche ne me donne nullement un moral d'acier ; Bert m'a tenu à peu près ce discours :

— Je vous donne une arme à la détente douce... Au cas où vous encaisseriez le premier, avec ce revolver — à moins d'être mortellement blessé —, vous pourrez riposter... par exemple, si on s'avançait vers vous pour vous achever.

On pourrait croire que Bert pratique l'humour noir. Il n'en est rien. Tout ce qu'il fait, tout ce qu'il dit, il le fait et le dit sérieusement, avec la plus totale conviction.

Quand j'ai quitté ma demeure, la propriétaire s'est étonnée :

— Vous partez, Mr Mulcahy ?

— Pour quelques jours...

— Tâchez de revenir vite.

— Si ça ne dépend que de moi...

Elle est, visiblement, frappée par mon ton involontairement sinistre.

Dans l'avion qui m'emporte vers le Montana, j'essaie de passer en revue les années que j'ai vécues depuis mon retour du Vietnam. Pas moyen de nourrir des illusions : un ratage complet. A trente-cinq ans, je suis à la merci d'un caprice de personnages d'en haut qui, ne me connaissant pas, m'envoient me faire tuer ou risquer de me faire tuer sans se poser la question de savoir si je suis d'accord ou non ! A vous dégoûter de la démocratie ! Bon Dieu, pourquoi n'étais-je pas resté à Mayoworth avec mes parents ? J'élèverais des chevaux... Seulement, il m'aurait fallu me marier parce qu'une ferme sans une maîtresse de maison... Et maman est bien vieille... De plus, en admettant que le cœur m'en eût dit, où aurais-je déniché une épouse ? C'est alors que, dans cet avion qui m'emmène vers le Montana, pour la première fois depuis mon adolescence, je repense à Rosemary.

Rosemary Conway a quelques années de moins

que moi. Nous nous entendions parfaitement tous les deux. Nous étions même sortis ensemble quatre ou cinq fois. Et puis, je l'avais un peu perdue de vue d'abord, au hasard de mes nombreux métiers et puis complètement lorsque j'étais parti dans l'armée. Mes parents m'apprirent le mariage de Rosemary avec Josuah Marshfield qui possède la prairie jouxtant les nôtres où il élève, lui aussi, des chevaux. Si j'avais épousé Rosemary, je ne me serais pas lancé à la poursuite d'un individu capable, d'ici quarante-huit heures, de me coller quelques balles dans le corps. Au fond, mes mélancolies matrimoniales naissent essentiellement de cette funèbre hypothèse.

Je fus amicalement reçu par les autorités policières de Great Falls dont la compréhension m'évita un inutile détour à Sholby. Le capitaine Knobs me confia :

— Les passeurs ne tiennent pas à ce que leurs clients se logent trop loin de leur lieu de rendez-vous. Pour moi, votre gibier ne prendra pas le risque de voyager par avion et jouera les touristes.

— C'est-à-dire ?

— Que, dans un petit hôtel du coin, un matin, il annoncera qu'il part pour la journée dans le parc national du Glacier. Il se fera remettre de quoi manger et boire. En vérité, il gagnera les approches de la frontière où le passeur l'attendra. C'est pourquoi il ne saurait se trouver à plus d'une dizaine de miles du Canada, c'est-à-dire à Babb, St-Mary ou Browning... Je vais alerter les postes de police de ces patelins pour savoir s'il n'est pas arrivé de nouveaux touristes, ces jours-ci.

Une heure plus tard, j'avais la réponse. Au *Vieil Elan*, situé à moins de trois miles de Babb, deux clients avaient débarqué l'avant-veille. L'un se prétendait voyageur de commerce en vacances, l'autre se disait professeur en convalescence. Partout ailleurs, on n'avait pas vu de visages inconnus depuis un sacré bout de temps. Les étrangers de Babb avaient déclaré s'appeler Humphrey Weldon et Sebastian Jordan. Par les soins des policiers de Great Falls, je fus transformé en chasseur. On me confia un excellent fusil en même temps qu'un permis de chasse, à charge pour moi, ma mission terminée, de remettre le tout au propriétaire du *Vieil Elan*. Dans le cas où je serais tué, cet attirail serait inscrit au chapitre des profits et pertes. Je préférais ne pas épiloguer sur cette dernière éventualité. Une voiture de police, muée en taxi, m'emmena jusqu'au *Vieil Elan* dont le patron me reçut comme il aurait reçu un client ayant retenu sa chambre à l'avance. Je remplis ma fiche d'hôtel et si quelque curieux s'avisait de la lire, il verrait que je m'appelle Horace Crafton, que je viens de Cheyenne où j'exerce la profession de marchand de chevaux.

Tout de suite, en entrant dans la salle à manger, je les ai repérés. L'un incarnait vraiment le Britannique de l'« establishment ». Il en avait la raideur, la froideur et la distinction. Je me suis rappelé la faiblesse de Sigurd : son anglomanie. L'autre ressemblait à n'importe qui. Un Américain moyen et sympathique. Evidemment, rien ne me prouvait que mon bonhomme soit l'un des deux dîneurs mais, intimement, j'en étais persuadé. Ne me demandez pas pourquoi. Pendant tout le repas, je pris soin de ne pas regarder mes suspects et je montai me coucher.

Au matin, en me réveillant, une idée me glace : et si mon gars avait profité de la nuit, ou simplement du petit matin, pour filer ? Après tout, si j'ai deviné

Sigurd sous son apparence anglaise, pourquoi n'aurait-il pas senti le flic sous mon visage débonnaire ? Je ne respire librement que lorsque je revois mes deux lascars prenant leur breakfast, chacun à une table. Tout en mangeant, je les observe discrètement et, de plus en plus, je soupçonne celui qui joue à l'Anglais plus vrai que nature. Au moment où, quittant sa place, il passe près de la mienne, je me lève et lui demande, aimable :

— Vous êtes anglais, n'est-ce pas, sir ?

— En quoi cela vous regarde-t-il ?

Il s'éloigne, me laissant tout penaud, mais avec la certitude que son allure britannique n'est qu'un leurre. Un Anglais, qui se vante de surcroît d'avoir étudié à Oxford, ne m'eût jamais répondu sur ce ton. Peut-être aurait-il moqué ma curiosité, mais avec humour. Comme je me rassieds, l'autre type me lance en souriant :

— Pas aimable, le camarade, hein ? Tous ces Britanniques se prennent pour le sel de la terre !

— Chacun a le droit de se prendre pour ce qu'il veut. Ce qui est plus intéressant, c'est de savoir pour qui les autres vous prennent.

— C'est calé, ce que vous dites là, et bougrement vrai, en plus.

Je prends un air modeste mais je suis flatté.

— Simple remarque...

Il se produit un silence puis celui à qui je parle se lève, s'approche, me prie de l'autoriser à prendre place à mes côtés et se présente : Humphrey Weldon, de Cincinnati, et ajoute :

— Ça fait plaisir de rencontrer quelqu'un qui ne vous snobe pas !

— Je ne vois pas quelle raison me pousserait à le faire.

— L'éducation. Il y en a qui se croiraient déshonorés de vous dire bonjour !

— Je suis trop vieux pour vouloir refaire le monde !

— Au fond, vous avez raison. Qu'est-ce que vous faites dans la vie, Mr Crafton ?

— J'achète et je vends des chevaux, dans le Wyoming. Et vous, Mr Weldon ?

L'air désabusé, il me confie :

— Je travaille pour Lodge et Campbell de Cincinnati. La machine-outil. Pas gai et pas facile à vendre.

— Vous n'aimez pas votre métier ?

— Non.

— Changez-en !

Il hausse les épaules en constatant, avec lassitude :

— Trop tard... Bon, vaut mieux qu'on s'occupe de choses plus gaies. Pour ne rien vous cacher, je suis venu passer huit jours ici pour ne plus entendre parler d'affaires, en général, de machines-outils en particulier. Bien manger, bien boire, bien dormir, voilà mon programme ! Qu'est-ce que vous dites de ça ?

J'approuve hautement et j'ajoute :

— Moi aussi, tout d'un coup, j'en ai eu ma claque des chevaux, des éleveurs et des clients. Je suis venu ici pour suivre un programme qui ressemble bougrement au vôtre !

— Alors, si vous êtes d'accord, on chassera ensemble.

— D'accord.

Nous nous serrons la main pour sceller notre entente et décidons d'aller faire un tour, histoire de brûler quelques cartouches.

Une fois harnachés, nous sortons et à peine avons-nous parcouru un millier de mètres, nous nous heurtons presque à Sebastian Jordan qui, accroupi, semble occupé à une mystérieuse besogne.

A notre vue, il se relève précipitamment et s'éloigne sans nous adresser le moindre signe d'intérêt. Weldon sourit :

— Je suis sûr qu'il croit qu'on l'épie !

Le soir, dans la salle à manger, Jordan dîne seul, impassible. Weldon estime qu'il ressemble au rocher de Gibraltar. Aussi aimable. Au cours du repas, je surprends à plusieurs reprises le regard du faux Anglais fixé sur moi. M'aurait-il deviné ? Je m'endors tarabusté par une sourde inquiétude.

Au matin suivant, c'est en sifflotant que, mes ablutions faites, je descends l'escalier de bois ciré menant au rez-de-chaussée. Joviale, la patronne me salue :

— Mr Crafton, vous serez seul dans la salle.

Subitement, j'ai de la peine à avaler ma salive et je croasse :

— Pourquoi ?

— Parce que votre ami et le client mystérieux sont partis.

— Il y a longtemps ?

— Deux bonnes heures.

Je me perds dans une série de jurons qui fait ouvrir de grands yeux à mon hôtesse.

— Vous... vous souhaitiez aller avec eux ?

— Et comment ! Avez-vous une idée de l'endroit où ils se rendaient ?

— A travers le Parc, je pense, en direction de la frontière.

— Ils sont partis ensemble ?

— Non, l'un après l'autre.

— Et vous pensez qu'ils se dirigeaient vers le même endroit ?

24

— J'en suis sûre, Mr Crafton, car celui qui s'est lancé sur les traces du premier s'est également inquiété de l'endroit qu'entendait gagner le type qui le précédait.

— Ils seront absents longtemps ?

— Pour la journée, sans doute, à moins que la faim ne les fasse rappliquer plus tôt. Ils ont oublié de me réclamer le casse-croûte de rigueur. Ils n'ont emporté que leurs fusils. Leurs bagages sont dans leurs chambres.

Je ne confie pas à cette brave femme que l'un des deux ne reviendra jamais chercher ses affaires. D'un air dégoûté, j'avale mon jus d'orange et entame mes œufs au bacon quand le maître de maison se précipite vers ma table :

— Mr Crafton ! J'ai oublié l'hélicoptère !

— Quel hélicoptère ?

— Celui qui, deux fois par semaine, ravitaille le camp de bûcherons du lac Slide à quelques miles de la frontière. C'est Joe Kleenburn qui le conduit. Il ne refusera pas de vous emmener.

Joe, un colosse taciturne, accepte ma compagnie. Nous volons depuis une demi-heure lorsque mon silencieux compagnon s'exclame :

— Ça y est ! J'ai vu un de vos bonshommes... Je viens juste de dépasser le camp où nous arrivons. Vous n'aurez pas un demi-mile de retard sur lui. Si vous avez du souffle et de bonnes jambes, dans un quart d'heure, vous l'aurez rattrapé !

En vérité, je mets presque une vingtaine de minutes. J'avance, en courant, sur la piste qui m'a été indiquée quand, soudain, je perçois à travers la grande rumeur forestière l'écho d'une marche maladroite. Je tiens ma prise et je tâte, dans ma poche, mon revolver.

Me rappelant mes patrouilles au Vietnam, quand nous avancions dans la jungle avec le sentiment oppressant qu'on était épié de tous côtés et la conviction que faire du bruit équivalait à un arrêt de mort, j'avais eu la chance de retrouver tout de suite mon pas d'autrefois. Je me frayais une route aussi silencieuse que possible à travers ronces et fougères quand un coup de feu claque, très proche et me cloue sur place. Négligeant toute prudence, je fonce et débouche dans une clairière où la première chose dont je prends conscience, c'est le corps étendu sur la mousse, celui de Sigurd, tandis que Jordan, le fusil à la main, regarde sa victime d'un air triomphant.

— Bravo, Humphrey ! Il est mort ?

Je me dirige vers le blessé et, au moment où je me penche vers lui, il ouvre les yeux et me dit d'une voix forte :

— Imbécile...

Je sursaute et suis tellement stupéfait que je ne trouve rien à répondre et Weldon, dans mon dos, d'une voix que je ne reconnais pas, m'annonce :

— Sacré pauvre flic à la manque ! Ce n'est pas lui, Sigurd Unsergrifft... C'est moi !

Un grand souffle me court le long de l'échine. Pas possible que je me sois fait posséder à ce point-là... Je me redresse lentement et me retourne. Le faux Weldon me regarde en souriant, le canon de fusil braqué sur mon ventre. Je n'en mène pas large. Heureusement, Sigurd a le tort de se glorifier de sa victoire.

— Je vous ai bien eu, hein ? Il faut avouer que ce n'est pas tous les jours qu'on rencontre un flic de votre acabit !

Je ronge mon frein.

— Si cet autre idiot (il montre du menton le type dans l'herbe qui essaie, de son foulard, d'arrêter l'hémorragie de sa cuisse ouverte par une balle) n'avait pas jugé nécessaire de m'arrêter avant la frontière, c'est lui que je faisais cueillir par les Canadiens, avec votre aide. Cela eût été drôle, non ?

J'en ai marre de sa mise en boîte. Je me laisse tomber sur le sol et, dans le mouvement, je glisse la main droite dans ma poche. Le gars se doute du coup, mais il s'est trop pressé. Je cueille sa balle dans l'épaule. La douleur se mêle à la colère pour me galvaniser et sans même penser à ce que je fais, je tire à travers ma poche. Je distingue une sorte de stupeur sur le visage de Sigurd. Je ne lui laisse pas le temps de se reprendre et vide mon chargeur. D'abord, il lâche son fusil, ensuite il tombe sur les genoux, en se tenant le ventre de ses doigts crispés, enfin il bascule, le visage en avant. Je le retourne. Il est mort.

— Content de vous ?

C'est le blessé qui me pose cette question, de sa voix froide, ironique. Je souffre, sans doute, autant que lui, alors il ne faut pas qu'il compte sur ma pitié.

— Qui êtes-vous ?

— Marcus Lodge, de Scotland Yard.

— Vous avez des papiers ?

Il me les tend. Ils sont en règle. Ça ne m'étonne pas qu'il ait l'air anglais. Je lui rends ses papiers.

Il remet son portefeuille dans sa poche et, à son tour, s'enquiert :

— Puis-je savoir qui m'a sauvé la vie ?

— Patrick Mulcahy, de la C.I.A.

Un bruit de moteur interrompt les présentations. Une jeep apparaît d'où sautent des gardes-frontières. Un lieutenant les commande. Il s'approche de moi, après avoir jeté un coup d'œil intéressé aux deux hommes étalés sur l'herbe.

— Ils sont ?...

Je montre le corps de Sigurd.

— Lui, seulement.

— Qui est-ce ?

— Un espion et un assassin.

— Et l'autre ?

— Un détective de Londres, plus amoché que moi...

— Vous êtes blessé ?

— A l'épaule.

Un garde nous donne les premiers soins. Avant que l'hélicoptère de Joe ne nous emmène à Great Falls, j'ai le temps de mettre le lieutenant au courant de ma mission, de le prier de fouiller le cadavre jusqu'à ce qu'il trouve le film que je devais récupérer, de l'envoyer à Liam Mulcahy, chef de service à la C.I.A. à Washington et de lui annoncer, par la même occasion, que l'homme qu'il m'avait chargé de traquer est mort.

Il y a huit jours que je me prélasse à l'hôpital de Great Falls lorsqu'on me remet un télégramme de Washington :

Bien reçu colis expédié. Merci pour Joan et pour moi. Sommes tous fiers de vous. Je savais que vous n'étiez pas un imbécile...

Le télégramme me tombe des doigts. Pas un imbécile ? Pauvre et cher tonton ! Si jamais il apprend que j'ai failli abattre un type de Scotland Yard, favorisant ainsi la fuite de celui que je poursuivais, il changera vite d'avis et se rangera à l'opinion générale. Un imbécile...

Abusivement fêté à mon retour, je me suis, peu

à peu, pris au sérieux. Je finis par me persuader que je suis quelqu'un à qui on ne la fait pas et que le Patrick d'hier, tendre et sans ambition, a laissé la place à un Irlandais impitoyable qui tue son homme comme rien. Mes parents m'apprennent la mort accidentelle du compagnon de Rosemary — mon amie d'enfance. Je ricane. Si cette idiote m'avait épousé, elle ne serait pas veuve aujourd'hui. Dans ma suffisance, j'oublie que c'est moi qui l'ai laissée tomber.

Mon oncle m'a reçu à bras ouverts, m'expliquant qu'on l'a complimenté en haut lieu pour le flair dont il ne cesse de témoigner en choisissant toujours les hommes les plus aptes à remplir les missions difficiles. Grâce à moi, sa cote est remontée en flèche. Il m'en remercie chaleureusement.

— J'ai écrit à vos parents, Patrick, pour leur dire combien je me félicitais de n'avoir jamais partagé leur opinion quant à vos capacités intellectuelles. Et maintenant, que décidez-vous ? Votre blessure, votre réussite, votre congé annuel, tout cela vous donne droit à deux mois de vacances. Pour ma part, je vous offre un billet d'avion pour Londres afin que vous puissiez aller jeter un coup d'œil sur le pays de nos ancêtres. Qu'en pensez-vous ?

Je ne suis pas assez grisé par l'encens des compliments. Je tiens à le savourer encore.

— Je vous remercie, mon oncle, vous êtes très chic mais je ne partirai que dans une quinzaine, si vous n'y voyez pas d'inconvénient.

— Comme il vous plaira. D'ailleurs, votre décision m'arrange assez. J'ai une petite affaire à vous confier que je ne souhaite pas voir tomber entre les mains du F.B.I.

— Où allez-vous m'expédier, cette fois ?

— Simplement à New York. Irez-vous chez vos parents, ce week-end ?

— Sans doute.

— Alors, saluez-les de ma part. Vous pouvez prolonger votre séjour à Mayoworth. Je vous attends mercredi.

Depuis que mon père a pris sa retraite, il est retourné, avec ma mère, vivre à Mayoworth où — comme ses parents — il élève quelques chevaux. Mon père a beaucoup vieilli et ma mère paraît bien lasse. La propriété s'appelle *Connemara* en souvenir du berceau irlandais. La maison ne paie guère de mine mais c'est la maison des Mulcahy, ma maison. Pourtant, en dehors de mon papa, nul n'a vu le jour en Irlande. N'importe quel membre de la famille, interrogé sur le coin où il est né, répondrait : Mayoworth, sur la North Fork, et personne ne songerait à Casper où nous avions toujours eu le sentiment d'être exilés. Le *Connemara*, c'est notre paradis perdu.

Les prairies du Wyoming sont célèbres dans le monde entier. Il n'y a pas un coin, sur la planète, où pousse une herbe meilleure. Quand je me tiens debout, entouré de prairies courant jusqu'à l'horizon et qu'un vent frais à odeur d'herbe me baigne tout entier, je suis heureux et j'ai envie de chanter ainsi que l'oiseau fétiche de notre Etat, l'alouette des champs.

C'est au dîner du samedi que maman m'attaque et la manière dont elle s'y prend me donne à penser qu'elle s'y prépare depuis longtemps. Elle commence par s'inquiéter :

— Vous aimez toujours notre *Connemara*, Patrick ?

— Toujours, mummy, et je crois que je l'aimerai jusqu'à mon dernier souffle.

— Et pourtant, après votre père et moi, que deviendra notre maison ?

— Je m'y installerai.

Elle secoue la tête.

— Votre situation est à Washington.

— Je reviendrai, à ma retraite.

— C'est loin et puis, si vous avez épousé une fille de la ville, elle n'acceptera pas de s'enterrer à Mayoworth où il n'y a pas mille habitants.

— Je ne pense pas que je me marierai.

Le père se porte à la rescousse de son épouse.

— On ne saurait vivre à la campagne, seul.

Il y a un assez long silence puis, sans insister, ma mère remarque :

— Voilà Rosemary veuve, à présent.

C'est donc ça !

— Je l'ai invitée à déjeuner avec nous, demain dimanche.

Le piège naïf et traditionnel auquel papa tient à apporter sa contribution !

— Une brave fille et tout, la Rosemary. Elle est encore très jeune pour son âge.

— Elle n'a que trente-deux ans ! proteste maman.

Le père, qui n'est pas habile, dans ces histoires-là, insiste :

— N'empêche que la mort de Josuah lui a fichu un sacré coup ! Je me figure qu'elle était très attachée à son mari.

Je crois que ma mère va s'emporter. Elle se retient et seul le timbre de sa voix trahit son irritation :

— Je suis navrée, Sean, de vous dire ça devant votre fils, mais sorti des chevaux, vous ne comprenez rien à rien !

31

— Ah ?

— Rosemary a été une bonne épouse, certes, mais elle n'aimait pas Josuah, enfin pas d'amour. Elle ne l'avait épousé que parce qu'elle avait peur de rester vieille fille et, aussi, parce que celui qu'elle aimait ne s'était pas intéressé à elle.

— Qui ça ?

— Oh ! Sean, vous le faites exprès, ma parole !

Visiblement, mon père ne comprend pas.

— Je fais quoi... exprès ?

— De feindre de ne plus vous rappeler que Rosemary rêvait de devenir la femme de Patrick.

J'interviens dans le débat.

— Vous n'exagérez pas un peu, mummy ?

— J'ai reçu les confidences de Rosemary et j'ai essuyé ses larmes. (Ça, c'était le côté irlandais de ma mère.) Sans doute, Dieu n'a-t-il pas voulu que cette union se réalise à l'époque.

Je note le « à l'époque » laissant supposer que le Seigneur a peut-être changé d'avis, maintenant qu'ayant délivré Rosemary de son époux on peut repartir à zéro.

Dans mon lit, cette nuit-là, je ris tout seul des pauvres ruses maternelles dont la terrible imagination a bâti un roman auquel elle doit énormément tenir. A la vérité, je me souviens de Rosemary comme d'une fraîche et rieuse fille n'ayant, vraisemblablement, plus rien à voir avec la matrone régnant sur un domaine beaucoup plus important que le nôtre. L'élevage de feu Josuah Marshfield était réputé dans notre comté de Johnson.

Notre ferme est située à plus d'un mile de Mayoworth où l'on célèbre le culte catholique dans une grange achetée pour un prix modique, avant la Première Guerre mondiale, au vieux Jérémie Mortimer. Pourtant, celui-ci paraît-il se réclamait de la foi méthodiste, mais comme il aimait bien le prêtre d'alors — son contemporain — et qu'il n'était pas tellement convaincu que sa religion fût la seule vraie, il jouait le salut de son âme sur les deux tableaux : en vendant aux catholiques une grange qu'il n'utilisait plus, il pensait s'assurer une aide non négligeable des milieux papistes au cas où... Dans mon enfance, j'ai connu le bonhomme, âgé d'une soixantaine d'années. Célibataire endurci, il vivait dans une bicoque mal tenue et avait toujours préféré le bourbon aux joies hypothétiques d'un foyer. Il semblait, d'après sa légende, qu'il ait été un fameux cavalier, connaissant tout ce qu'on pouvait savoir sur les chevaux. Cette science, dans notre pays d'élevage, l'avait empêché de mourir de faim.

J'ignore pourquoi, en ce dimanche matin, je pense à Jérémie Mortimer que l'alcool a conduit au cimetière depuis longtemps. Il est vrai qu'il en est ainsi chaque fois que je reviens à Mayoworth. On dirait que pour me reprendre, le passé, envahissant ma mémoire, me rappelle des gens que j'ai aimés et dont les ombres traînent encore sur les chemins de notre pays et y traîneront tant que quelqu'un parlera d'eux. En plus de Jérémie et lui tenant compagnie dans mes souvenirs reconnaissants, il y a la grosse Sarah Lawton qui tenait une boutique où nous allions acheter des sucreries quand nous avions quelques *cents* en poche, et Omer Talbot, le sellier-bourrelier qui, pour nous obliger à décamper de son seuil, brandissait un fouet dont il ne se servait jamais. Je n'oublie pas, non plus, Milicent Glonet, la maîtresse d'école, une créature sans âge, sèche et pointue, passant des heures à établir de fâcheux pronostics quant à nos avenirs qui devaient — d'après elle — se terminer au bagne ou sur la chaise électrique. La plupart des élèves mâles de Mayoworth — la puberté venue — tombaient amoureux de Joyce Banbridge qui élevait de beaux chevaux et mourut dans un concours hippique avant d'avoir atteint la quarantaine. Enfin, comment aurais-je pu oublier Sam Kilkeel, l'excellent médecin qui m'a mis au monde et qui vécut assez pour me protéger des maladies assaillant la première enfance ?

Avant d'entrer dans l'église, je dois serrer bien des mains et subir pas mal d'embrassades. Il en est ainsi à chacun de mes passages. Il est vrai que jusqu'alors, je n'ai pas assisté à la messe depuis mon lointain départ. Il me faut presque me frayer un chemin à travers les bourrades affectueuses, les grandes tapes sur l'épaule, les « Qu'est-ce que vous devenez ? » et les « Ça fait un bail qu'on ne vous avait vu ! » pour gagner un des bancs près de l'autel, réservé aux Mulcahy depuis la première messe célébrée à Mayoworth. Je n'aperçois Rosemary qu'au moment de l'élévation. Je la vois de profil. Il n'a guère changé. L'âge n'a en rien marqué son visage. Simplement, il s'est contenté de lui ôter sa gracilité de jadis pour lui donner le corps d'une femme robuste, habituée à vivre au grand air.

C'est Rosemary — lorsque nous nous retrouvons dehors — qui vient à nous. Après avoir salué mes parents, elle se tourne vers moi et me sourit. Je peux alors constater que ses beaux yeux couleur noisette ont gardé leur douceur d'autrefois. Elle s'enquiert gentiment :

— Alors, c'est le retour du fils prodigue ?
— Pour quelques jours seulement, hélas !

— Je comprends que lorsqu'on vit à Washington, on prenne en pitié ceux qui passent leur existence dans ce trou perdu de Mayoworth !

Je crois discerner une certaine amertume dans sa voix.

— Cela dépend des gens, Rosemary.

— Qu'entendez-vous par là, Patrick ?

— Ma foi, il y a ceux qui prennent conscience de la chance qu'ils ont de couler leurs jours dans ce pays encore intact et ceux qui souffrent de vieillir ailleurs.

— Votre cas ?

— Peut-être...

— Le remède est simple : revenez au nid !

— Simple, mais pas facile.

A cet instant, mon père nous invite à monter en voiture.

Après le repas, tout entier consacré par mes parents au rappel de notre jeunesse, ma mère nous prie — Rosemary et moi — d'aller faire un tour, ne supportant pas l'idée qu'on pût vouloir l'aider à débarrasser la table et laver la vaisselle. J'imagine que la tendre ruse ne trompa personne. Dehors, nous fîmes quelques pas en silence puis je dis :

— J'ai su trop tard la mort de votre mari pour vous écrire.

— Aucune importance.

— De plus, je ne le connaissais pas. D'où venait-il ?

— De Rawlins, dans le Sud.

— Vous avez été heureuse avec lui ?

— Je ne sais pas...

— Vous ne savez pas !

— J'ignore comment vit un couple heureux, cependant je me figure que ce doit être autre chose que de se bien conduire et de respecter celui ou celle qui partage votre existence. Josuah était honnête. Il ne m'a jamais trompée et moi, je lui ai été fidèle, du moins matériellement.

— Matériellement ?

— J'avais le souvenir d'un autre dans le cœur.

Je feins de ne pas comprendre.

— Songez-vous à vous remarier ?

— Non, à moins...

— A moins ?

— ... que ce soit avec quelqu'un que j'aimerais.

Je ne vois pas quoi répondre. Elle ajoute, sans me regarder :

— Je vous attendrai, Patrick, tout le temps qu'il faudra.

— J'exerce un métier où le retour n'est pas toujours assuré.

— Vous aimez votre métier ?

— Non. Je songe même à le quitter.

— Dans ce cas, reviendrez-vous ?

— Je crois, oui. Rosemary, je pense que je vous ai, moi aussi, toujours aimée, mais je m'en suis rendu compte trop tard.

— J'appartiens à ce genre de femmes qui se persuadent qu'il n'est jamais trop tard et qui sont douées d'une patience infinie.

Nous nous embrassons dans un petit bois de bouleaux. Notre baiser a le goût de notre jeunesse perdue.

Je n'aurais jamais pensé que ce fût aussi facile. Nous n'avons pas eu besoin, Rosemary et moi, d'échanger des promesses, de prêter des serments solennels. Il a suffi d'un baiser pour que nous soyons persuadés que nous sommes, désormais, unis pour toujours. Je suis heureux maintenant que je sais quel sera mon avenir. Rosemary et les chevaux. Nous pourrons élever une cinquantaine de bêtes. Enfin, corollaire de tous ces projets, je me promets d'avertir mon oncle que, désormais, la C.I.A. devra se passer de mes services. En débarquant à Washington, j'ai le sentiment de me trouver à l'étranger tant Mayoworth m'occupe l'esprit.

Mon oncle m'a écouté sans un mot. Quand j'ai terminé, il se contente de remarquer en ce qui concerne Rosemary :

— Je l'ai connue, jeune fille. Vos parents en faisaient grand cas. Nul doute que ce soit une excellente personne, mais elle n'est plus de la première jeunesse.

— Moi non plus.

— Justement... Il est difficile de vivre à deux quand on a été longtemps indépendant. J'ai commis cette sottise. Je sais donc de quoi je parle. Enfin, il s'agit d'un problème que vous seul pouvez résoudre. En ce qui concerne votre intention de démissionner, je vous demande de réfléchir encore. C'est une décision grave, à votre âge, de se priver de son gagne-pain.

— Mais, puisque je vous dis...

— Tout ce que vous pourrez me raconter en ce moment n'a aucune valeur, car vous raisonnez avec votre cœur et non avec votre tête. Vous avez droit à deux mois de convalescence. Voilà ce que nous allons faire. Vous allez commencer par vous rendre à New York où nous avons une petite affaire à régler. Un minable du nom de Bert Turvey s'est mis au service des Russes. Pour l'instant, c'est un besogneux de l'espionnage. Passer quelques années à l'ombre lui rendra le sens de ce qu'il doit à sa patrie. Il travaille dans un magasin de confection pour homme dans Garment Center. Turvey a de mauvaises fréquentations et sert de boîte aux lettres. Il habite une chambre meublée au 234 de Fulton Street dans Brooklyn. Il a une amie avec qui il ne vit pas, Margaret Mayshall, laquelle loge à la frontière du quartier chinois, au 127 de Oliver Street dans Manhattan. Nous avons enquêté sur elle. Elle travaille comme vendeuse chez une modiste de Greenwich Village. Vraisemblablement, elle ne sait rien des activités annexes de son compagnon. Quand vous nous aurez ramené Turvey, vous prendrez votre congé. Un billet aller retour pour Londres vous attendra. De là, vous pourrez gagner le vieux pays et demander aux ancêtres de vous inspirer. Bonne chance, Patrick. Nous reprendrons cette conversation à votre retour.

Tenant à me débarrasser au plus tôt de la besogne qu'on m'a confiée et qui me dégoûte quand je pense à Mayoworth — et j'y pense sans cesse maintenant — je décide de m'attaquer tout de suite à Margaret Mayshall qui me renseignera (si elle ne tient pas à ce que je l'embarque) sur les habitudes de son ami pour que je puisse l'arrêter sans esclandre.

Ayant pris un avion de nuit, je débarque au petit matin à La Guardia Airport. Un taxi — dont il faut réveiller le chauffeur dormant sur son volant — me conduit à Oliver Street. L'immeuble devant lequel je me trouve ne paie pas de mine. Du quartier chinois proche arrivent d'étranges odeurs. Je n'ai pas besoin de sonner, la porte d'entrée est poussée par le concierge remorquant des poubelles, un homme âgé, pas très propre, au regard hargneux.

— Miss Mayshall, c'est bien ici ?

— Qu'est-ce que vous lui voulez ?

— Je suis son beau-frère...

— Vous avez épousé sa sœur, de Kingshee ?

— Exact et elle ne va pas bien. Il faudrait que Margaret aille la voir le plus tôt possible.

— Ah ?... Miss Mayshall habite la chambre 27, au 3e étage.

— Merci.

Margaret ressemble à Rosemary. Le même genre de femme, grande, forte et calme. En m'ouvrant, elle bâille, drapée dans une robe de chambre légèrement déteinte. En me voyant, elle a l'air surprise et tente de remettre un peu d'ordre dans sa tenue.

— Je... je croyais que... que c'était...

— Bert Turvey ?

— Vous... vous le connaissez ?

— Permettez-moi d'entrer et...

— Je ne sais pas qui vous êtes.

— Un policier.

Je lui colle ma carte sous le nez. De stupéfaction, elle lâche la poignée de la porte.

— Si vous nous prépariez un peu de café ?

— Mais...

Elle n'y est plus du tout et son désarroi m'attendrit. Comme d'habitude, mon bon cœur s'apprête à me jouer des tours.

— C'est à cause de Bert ?

Elle tremble d'énervement.

— Oui.

— Qu'est-ce qu'il a fait ?

— Je suis là pour vous l'expliquer. Mais d'abord, il vous faut répondre à quelques questions. Vous aimez Turvey ?

Elle hausse les épaules.

— C'est un bon camarade.

— Vous êtes sa maîtresse ?

— Nous sommes si seuls, lui et moi... et j'ai trente ans.

— Il travaille dans la confection, je crois ?

— Oui. Chez Fisheim, dans Garment Center.

— Il gagne bien sa vie ?

— Non... Il est obligé d'exercer un métier d'appoint.

— Lequel ?

— Il n'a jamais voulu me le confier. Je le soupçonne de travailler pour un bookmaker.

Elle se lève et revient avec le café. Quand elle nous a servis, je m'enquiers doucement :

— Pourquoi ne vous mariez-vous pas, tous les deux ?

— Je ne sais pas. Je pense que nous n'en avons vraiment envie ni l'un ni l'autre.

— Combien Turvey gagne-t-il chez Fisheim ?

— 120 dollars par semaine.

— Et vous ?

— 80 dollars.

— Il a un compte en banque ?

— Oui.

— A combien se monte-t-il ?

— Je l'ignore.

— Curieux, non ?

— Apparemment, j'en conviens. Cependant, sans que j'en devine les raisons, il prend toujours grand soin de ne pas me mêler à son existence matérielle. Il ne m'a jamais reçue chez lui. Toutefois, chaque semaine, il me donne une vingtaine de dollars pour payer mon loyer.

— Il tient donc à vous ?

— Je le crois. Ce qui m'empêche d'en être tout à

fait sûre, c'est ce manque de confiance. Tenez, il a des papiers importants qu'il ne veut pas laisser chez lui, eh bien ! il m'a priée de les garder. Il les a mis dans le tiroir de cette commode et il en a emporté la clef. Incompréhensible, non, s'il m'aime ?

— Peut-être pas.

Je me lève et, en dépit des protestations de Margaret, je fais sauter la serrure et découvre le carnet de chèques.

— Il vous aime plus que vous ne le supposiez... Son compte, qui se monte à 35 000 dollars, est à son nom et au vôtre.

J'ai ramené Turvey à mon oncle. Exploit dont je n'aurai pas le mauvais goût de me vanter. Sitôt que je lui eus tapé sur l'épaule, en lui déclinant mon nom et ma qualité, il s'est effondré. Un pauvre type. Quand il a compris que c'était fini pour lui, il ne s'est inquiété que de Margaret. Je lui ai répondu de ne pas se frapper et qu'avec 35 000 dollars retirés de la banque dans la journée, on pouvait vivre longtemps, surtout quand quelqu'un vous indiquait un endroit sûr — Mayoworth, en l'occurrence — où nul n'aurait l'idée de la chercher. Alors il a levé sur moi un regard de cocker malheureux, en chuchotant :

— Pourquoi avez-vous agi de la sorte ?

— Si vous pouviez me l'expliquer...

Il ne le pouvait pas. Comment aurait-il su que Margaret ressemblait à Rosemary ?

Un qui prit beaucoup moins romantiquement la chose, ce fut le tonton quand il sut que Margaret avait fiché le camp avec 35 000 dollars.

— Patrick, vous êtes décidément incurable ! Vous doutez-vous seulement que vous êtes incurable ?

Vous avez commis une forfaiture ! Je devrais vous dénoncer.

— Mais vous ne le ferez pas.

— Non, je ne le ferai pas et savez-vous pourquoi ?

— Parce que vous êtes un brave homme et que vous ne tenez pas à rendre une pauvre fille encore plus pauvre et plus malheureuse.

— Voilà votre billet d'avion, votre congé et foutez le camp !

— Merci, oncle Liam.

— Foutez le camp !

Je m'en vais, sans l'ombre d'un remords. Dehors, j'hésite : j'ai bien envie de filer passer ces deux mois à Mayoworth, mais j'ai aussi envie de connaître Londres. Et puis cela fera tellement plaisir au père d'apprendre à quoi ressemble le vieux pays. Après être passé chez moi, un taxi me conduit à Kennedy Airport.

CHAPITRE II

Sitôt débarqué à Londres, je suis pris d'une fringale de connaître à fond cette capitale d'un peuple qui, à nous autres Irlandais, en a fait voir de toutes les couleurs. Qu'on la haïsse ou qu'on l'aime, on est fasciné par cette métropole dont le nom revenait sans cesse dans les souvenirs que nos grands-parents égrenaient, le soir, assis près du poêle ou de la cheminée. L'épopée du Sinn Fein était notre chanson de geste et, au-dessus de leur lit, à côté d'une Vierge sulpicienne, mes aïeux avaient fixé, avec des punaises, le portrait du lord-maire de Cork qui choisit de se laisser mourir de faim plutôt que de céder aux Anglais.

Au bout d'une dizaine de jours, ayant vu tous les monuments qu'il fallait voir, je me fis flâneur et allai au gré des rues, oubliant mon impatience des premiers moments qui, le soir, me jetait, fourbu, sur mon lit.

Un matin, alors que je remontais Whitehall, en direction de Trafalgar Square, je passai devant Scotland Yard et, aussitôt, la belle façade de l'hôtel de la police métropolitaine imposa à ma mémoire le visage de Marcus Lodge. Sans réfléchir davantage, je pénétrai dans l'immeuble et demandai à parler à l'inspecteur Lodge. Un planton partit se renseigner et revint m'annoncer que l'inspecteur-chef Lodge m'attendait dans son bureau.

D'abord, nous nous sommes regardés sans parler. Ensuite, la figure de Lodge s'est éclairée et, se levant, il est venu à moi, les bras ouverts :

— Comment va celui qui m'a sauvé la vie ?

— Très bien. Et vous ?

— Au poil ! Filons boire un verre, je vous dois bien ça.

Dans le coin d'un pub, nous évoquons le passé en buvant de la bière.

— En mission, Patrick ?

— En congé.

— Veinard ! Pourquoi l'Angleterre ?

— Pas l'Angleterre, l'Irlande, où je me rends sur les tombes de mes ancêtres. Londres n'est qu'une étape.

— Vous disposez de quelques jours ?

— J'ai tout mon temps.

— Parfait ! Nous dînons ensemble, ce soir, à la campagne ! Je passe vous prendre à sept heures. Demain, nous dénicherons un autre endroit. J'ai une amie qui me croit employé de banque. Pour elle, je m'appelle Harry Dobson. Elle a une copine, je lui dis de l'amener ?

— D'accord. Je serai marchand de chevaux, un job sur lequel je suis imbattable, et mon nom sera Ed Baker. Je suis descendu au *Cadogan*, dans Sloan Street.

— A ce soir, donc.

— Je ne voudrais pas vous déranger dans votre travail.

— Pour l'instant, j'ai un peu de répit. J'enquête sur une affaire de vol aggravée d'un meurtre. Nous connaissons les coupables qui ne m'ont pas attendu pour se perdre dans la nature. On les recherche. A ce soir, Patrick.

— A ce soir, Marcus.

A 7 heures, le téléphone sonne dans ma chambre. Le concierge m'annonce que trois personnes m'attendent dans le hall. Je bondis dans l'ascenseur et, sortant de l'appareil, je vois Marcus encadré par deux jolies filles.

— Ed, je vous présente Laura sur laquelle vous n'avez pas le droit de jeter les yeux car elle est mon esclave résignée.

La jolie brune que mon copain désigne sourit. Elle a l'air intelligente.

— Et voici Fiona. Avec elle, vous pouvez exercer la puissance de votre charme. Mesdemoiselles, je vous présente Ed Baker, une tête de mule irlandaise, qui vient des U.S.A. pour conquérir Londres, ou, du moins, sa population féminine.

Fiona, une gentille rousse aux yeux verts, me dit :

— Soyez le bienvenu à Londres, Mr Baker.

Je n'aurais jamais imaginé que Marcus Lodge, en dépit de son allure de quaker, puisse être un aussi joyeux compagnon. Tous les soirs, nous partions dîner ici ou là et j'estimai très vite que mon ami devait avoir une constitution exceptionnelle pour mener une existence pareille sans que son travail en souffrît. Personnellement, je me trouvais fort bien de cette vie tumultueuse et ce d'autant plus que Fiona se révélait une fille épatante, pas bégueule pour un sou et aux exigences limitées. Le genre de girl au côté de laquelle on éprouve des sentiments de mari.

Cependant, cette charmante aventure prit fin de

manière assez triste. Nous étions attablés, à Hampton Court, devant un Yorkshire pudding fort appétissant, lorsque Laura, reposant sa fourchette, déclara :

— Qu'est-ce que vous pensez de nous, vous deux ?

J'eus la prémonition d'une catastrophe. Comme je restais coi, Marcus répondit :

— Je me fais l'interprète de Patrick pour vous confier que, lui et moi, apprécions infiniment votre compagnie.

Fiona eut un sourire ironique.

— C'est bien aimable à vous, mais nous nous le figurions, vous savez.

Je crus bon d'approuver par un « bien sûr » qui s'avéra inutile. Les filles me regardèrent avec sévérité et Laura, qui semblait mener le jeu, reconnut :

— Vous êtes de bons garçons. Fiona et moi éprouvons beaucoup plus que de l'amitié pour vous.

Je ne voyais pas où les petites souhaitaient en venir. Je jetai un coup d'œil inquiet à Marcus, mais il était apparemment inutile de chercher du secours de son côté. Il demeurait aussi froid et dur que le rocher de Gibraltar. Devant le mutisme de mon compagnon, je pris sur moi de répliquer :

— Nous aussi, soyez-en persuadées.

— Eh non ! justement, nous n'en sommes pas convaincues !

— Pourquoi ?

— Parce que si vous teniez réellement à nous, vous nous auriez parlé mariage.

L'annonce qu'un cyclone — ayant, pour une fois, abandonné le golfe du Mexique — s'approchait à toute vitesse de la banlieue ouest de Londres ne nous eût pas produit un effet plus saisissant. Fiona ricana :

— On mentirait si l'on prétendait que l'hypothèse

d'un passage devant le maire vous transporte d'enthousiasme !

Ne m'attendant pas à un pareil coup bas, j'avais l'esprit à la dérive. Marcus, lui, n'avait rien perdu de son flegme. Doucement, il protesta, plein de sagesse :

— Convenez, chère Fiona, que c'est là une proposition inattendue.

— Mais qui devrait vous combler de joie si vous étiez sincères, non ?

— Et qui vous prouve que nous n'avons pas déjà envisagé cette éventualité ?

Là, il y allait un peu fort. Les filles flottaient. Il était visible que, maintenant, elles se demandaient si elles n'avaient pas été trop vite et trop loin. Marcus, sentant leur subit désarroi, profita de l'occasion pour accentuer son avantage :

— Laura, je n'aurais jamais imaginé que vous témoigneriez d'autant de méfiance à mon égard. Vous m'avez peiné, ma chère.

En réponse, Laura fondit en larmes et, après un court moment d'hésitation, Fiona l'imita. Nous nous employâmes à les consoler et la soirée se termina de la plus gentille façon du monde.

Le lendemain matin, au saut du lit, j'estime que je peux me tenir pour un homme heureux. Il y a presque un mois que je me trouve à Londres et je suis enchanté de mon séjour. Marcus s'est révélé un compagnon aimable, et Fiona... Je me dirige vers la douche quand, brusquement, me revient en mémoire ce que les filles nous ont annoncé, le charmant ultimatum adressé à travers sourires et larmes. Le mariage ! Elles vont vite en besogne, ces demoiselles ! Le mariage ! Et soudain, mes jambes flageolent. Au lieu de filer me laver, je me laisse tomber dans un fauteuil, le regard vague, la bouche amère. Je viens de réaliser que, pas une seconde, je n'ai songé à Rosemary... Comment ai-je pu l'oublier ? Il me suffit de me représenter la douceur de son regard, son sourire, de me rappeler notre baiser dans le bois de bouleaux pour sentir mon cœur battre plus vite. Sans doute Fiona est-elle mignonne, agréable, jeune, coquette, mais c'est d'une femme solide dont j'ai besoin, une femme sur qui je puisse compter dans les coups durs, une femme du genre de Rosemary... Et le Connemara ? Qu'est-ce que j'attends pour me rendre au vieux pays ainsi que je l'ai promis à mon père ? Suis-je devenu complètement fou ? Obsédé par le remords, je retiens une place pour le jour suivant dans l'avion qui me déposera à Dublin où je louerai une voiture. Je téléphone à Marcus à qui je fais part de mes intentions. Il m'approuve et me propose de déjeuner avec lui au *Wheeler*, dans Soho.

Nous dégustons des filets de turbot en buvant du chablis lorsque, reposant son verre, Marcus m'annonce :

— Patrick, à cause de ma situation, j'ai décidé de ne plus revoir Laura ; elle devient dangereuse pour ma tranquillité. Malheureusement, je lui ai donné rendez-vous à *L'Arc et la Flèche*, à Hampstead. Soyez chic, allez-y seul et inventez n'importe quoi pour expliquer mon absence. Dites à Laura que je l'appellerai demain.

— Un mensonge ?

— Bien sûr.

— Pas très joli...

— D'accord, mais leur chantage n'est pas bien beau non plus. On se défend avec les armes qu'on a.

Je crois d'ailleurs me rappeler qu'un prédicateur français du XVIIIe siècle a dit : *Contre l'amour, le vrai courage consiste à craindre et à fuir, mais à fuir sans délibérer.* Cela me paraît plein de sagesse.

— Pourtant...

— Voyons, Pat... Vous n'oseriez pas, j'imagine, mettre en doute l'expérience d'un homme d'Eglise ? Vous êtes trop bon catholique pour cela. Maintenant que ce problème est réglé, parlons de vous. C'est sérieux, cette histoire de départ ?

— Demain, je coucherai chez mes ancêtres.

— Pour longtemps ?

— Un mois.

— Et retour à Washington ?

— Le temps d'y déposer ma démission.

— Non ?

— Si... Voyez-vous, Marcus, je ne suis pas fait pour ce métier. Je l'ai toujours exercé à contrecœur et j'ai sans cesse raté ce que j'ai entrepris.

— Sauf le jour où vous m'avez sauvé la vie.

— Mieux que quiconque, vous savez que c'était un échec de première qu'un miracle a changé en victoire. Que vous proposez-vous de faire ?

— D'abord, m'offrir, comme convenu, un séjour dans le Connemara, ensuite retourner aux States et dire à mon oncle que je m'en vais.

— Réellement ?

— Marcus, quand on sent, quand on sait que l'on n'est pas capable d'exercer un métier, il faut le quitter.

— Sans doute n'y a-t-il rien de pire que d'être astreint à une tâche qui vous déplaît, mais il faut vivre !

— Je vivrai dans mon village de Mayoworth (Wyoming), j'épouserai une amie d'enfance et j'élèverai des chevaux.

— Quel sage programme ! Vous n'avez pas peur de vous ennuyer très vite ?

— Oh ! non... Si vous aviez vécu à la campagne, vous ne me poseriez pas cette question. A moins d'être né loin des villes, personne ne peut vous faire comprendre ce qu'est une marche matinale à travers les champs que la rosée mouille encore, le plaisir de mettre les pieds sous la table après une bonne randonnée, la satisfaction qu'on éprouve en poussant la porte de son écurie et qu'on s'enfonce dans la chaleur que dégagent ces bêtes puissantes...

— Franchement, ça ne m'attire pas. Il me semble, au contraire que, si j'en avais la possibilité, j'aimerais faire la grasse matinée et avoir mon breakfast servi dans une vaisselle fine. Quant aux chevaux, sorti des champs de courses, je ne vois guère l'intérêt qu'ils présentent.

— Vous raisonnez en type qui n'a encore jamais réellement vécu en dehors de sa rue, de son bureau, de ce petit univers qui ne vous permet pas de voir très loin. Vous devriez m'imiter et tout plaquer.

— Et je ferais quoi ? Vous oubliez que moi, je n'ai pas une fille qui m'attend au milieu des bois ou des prés !

— Si vous le désiriez vraiment, vous en trouveriez vite une !

— Me marier ? Ah ! non, merci ! J'ai trop fréquenté les crapules mâles et femelles pour avoir confiance en une femme. De plus, mon métier me colle à la peau. Je suis, avant tout, un flic et je suis heureux ainsi.

— Bon... eh bien, je vous enverrai mes impressions du pays de mes pères !

50

— Je suis capable d'aller vous y embêter pendant un week-end. Je ne connais pas l'Irlande...

— Alors, venez le plus vite possible pour le plus longtemps possible. Au revoir, Marcus, et comptez sur moi pour opérer en douceur ce soir.

— Je m'en remets à vous. Au revoir.

Nous étions émus de nous quitter, cependant, pour rien au monde, on n'aurait voulu le montrer.

Durant l'après-midi, je m'offre une dernière promenade dans Londres, car lorsque je serai à Mayoworth, je n'aurai guère l'occasion d'y revenir à moins que l'oncle Sam ne songe à me payer le voyage, perspective plus qu'hasardeuse. Je m'assieds au soleil, sur un banc de Hyde Park, et je regarde passer les couples, en me disant que, d'ici peu, Rosemary et moi, nous nous baladerons de la même façon. Cette idée m'emplit d'une satisfaction que je me contente de déguster sans chercher à l'analyser. Simplement, je me répète qu'il faudra que Rosemary et moi, nous nous aimions beaucoup pour rattraper le temps perdu. Je n'ai jamais éprouvé pareil sentiment avec mes amies de rencontre, à Washington ou ailleurs. Ces souvenirs inutiles me ramènent à la corvée qui m'attend avant de pouvoir me coucher.

Parce qu'il est habitué à fréquenter la canaille et qu'il est, sans doute, intoxiqué par ce monde où il pêche son menu fretin et récupère ses indicateurs, Lodge nous avait donné rendez-vous à *L'Arc et la Flèche*. La vraie pègre ne vient pas dans cet établissement, seulement les marginaux, imaginant se frotter au monde secret de l'underground en mangeant une plie frite arrosée de stout. Laura et Fiona avaient accueilli avec un certain enthousiasme la proposition de dîner chez Jérémie Struton, le faux truand, propriétaire du bar.

Il y a déjà pas mal de monde à *L'Arc et la Flèche* — et qui mène un sérieux tapage — lorsqu'un taxi dépose les petites devant la porte. Je me lève pour les recevoir mais Laura, avant de répondre à mes salutations, me demande, le sourcil froncé :

— Harry n'est pas encore là ?

— C'est-à-dire qu'il m'a prié de l'excuser... Un empêchement de dernière minute l'oblige à passer une partie de la nuit au bureau avec son patron. Il paraît que nous sommes à la veille d'une vérification de bilan.

— Il n'aurait pas pu me prévenir ?

— Sans doute a-t-il été trop pris, trop occupé.

— C'est quand même bizarre.

Je commence à mal augurer de l'atmosphère de ce dîner que je sais être le dernier. Refroidie par l'humeur sombre de sa compagne, Fiona s'applique à ne pas prononcer un mot pouvant donner l'occasion, à Laura, de me faire une scène. La soirée se déroule au milieu des rires, des chansons et des injures dans toutes les langues que, pour le grand plaisir de sa clientèle, Jérémie Struton se fait un devoir de débiter pour les oreilles faussement effarouchées des représentants de l'*establishment* venus chez lui comme leurs grands-pères se risquaient en Afrique noire, en courant, cependant, moins de dangers.

Nous en sommes au dessert lorsque Laura, posant brutalement sa cuillère sur son assiette, gronde, assez fort pour être entendue des tables environnantes :

— Non, je ne crois pas à vos racontars !

Des visages intéressés se tournent vers nous. Fiona tente d'apaiser son amie :

— Voyons, Laura, calme-toi...

— Toi, fous-moi la paix...

Elle glapit cette recommandation d'une voix haut perchée. Du coup, le silence règne dans la salle. Laura enchaîne :

— Espèce d'idiote, tu ne te rends donc pas compte qu'il se moque de nous ?

— Je vous assure...

— Vous n'êtes qu'un sacré sale menteur d'Irlandais.

Le silence se fait plus pesant. Struton, de derrière son comptoir, lance :

— Vous devriez parler plus bas, miss.

— Je vous em...

Le patron hoche tristement la tête et déclare à l'adresse de la clientèle :

— Ce n'est évidemment pas une lady...

Fiona pleure. Laura semble avoir perdu l'esprit, tant sa fureur devient démentielle. Elle attrape Fiona aux épaules et, la secouant, hurle :

— Tu ne comprends donc pas que c'est parce que nous les avons mis au pied du mur, hier soir, que Harry n'est pas venu et que celui-ci n'attend que le moment de se défiler ? Alors, vous vous imaginez qu'un foutu crétin d'Irlandais est assez malin pour mener en bateau deux vraies Anglaises ?

Un énorme type se lève et, s'adressant à la jeune fille :

— Je vous conseille de mettre la pédale douce en ce qui concerne les Irlandais. Je suis de Killarney et si vous continuez sur ce ton, je vais vous botter les fesses pour vous calmer.

Laura en reste muette de surprise avant de s'écrier :

— Il n'y a donc pas un gentleman dans cette boîte ?

Je tente un ultime effort :

— Laura, soyez raisonnable...

— Fermez-la, espèce de faux jeton !

Sur ce, elle empoigne son verre de bière et me le jette à la figure. Je suis d'un naturel patient ; toutefois, il ne faut pas exagérer. Chez nous, Irlandais, les femmes ne tiennent pas tête aux hommes sinon elles reçoivent une raclée qui leur rappelle le respect dû au mâle. C'est pourquoi, sans plus réfléchir, j'applique à Laura une gifle qui l'envoie sur le derrière, au milieu de la salle. Un jeune homme s'empresse de la relever et, s'approchant de moi, m'ordonne, l'air mauvais :

— Des excuses à la dame, tout de suite, ou je vous colle mon poing dans la figure !

Il n'aurait pas dû me parler de cette façon, parce que en réponse, c'est le mien qu'il reçoit et à l'endroit qu'il a lui-même désigné, si bien que mon galant adversaire se retrouve, à son tour, sur le plancher avec, en travers du corps, Laura qu'il n'a pas lâchée. En voyant son amie dans cette peu glorieuse position, Fiona abandonne le camp des neutres pour rejoindre celui des irlandophobes. Elle commence par me traiter de salaud et essaie, vilainement, de me planter une fourchette dans la joue. On reconnaîtra que ce sont là des manières qu'un homme digne de ce nom, et quelle que soit sa nationalité, ne saurait tolérer. Aussi, Fiona, calottée à son tour, s'en va tomber sur Laura qui se relevait, laquelle s'accroche au gentleman ayant pris sa défense et qui, titubant, se demande ce qui lui est arrivé. Le résultat de ces différents télescopages veut qu'ils se retrouvent emmêlés, sur le sol, les demoiselles montrant généreusement des dessous réduits au minimum.

Les choses en seraient, probablement, restées là si

les dames de l'assistance, furieuses de voir leurs maris reluquer avec un intérêt évident, chez Laura et Fiona, ce qui, chez elles, ne suscitait plus aucune curiosité, ne s'étaient mises à pousser des cris véhéments, hurlant que c'était honteux de voir traiter de la sorte de charmantes jeunes filles anglaises, la plus indignée allant même jusqu'à prétendre que dans les pantalons de leurs compagnons, il devait manquer quelque chose d'essentiel. Pendant ce temps, légèrement hébétées, ma conquête et celle de Marcus, toujours assises sur le plancher, se regardent, incompréhensives. Ce qui met le feu aux poudres, c'est une voix anonyme — mais féminine — qui gémit :

— Qu'est-ce que le Seigneur attend pour rayer de la surface du globe cette maudite engeance irlandaise ?

Il n'y a pas de réactions immédiates et, comme Dieu ne daigne pas répondre à l'insolente demande, le patron de *L'Arc et la Flèche* se substitue à lui. Pour cela, il croit nécessaire de mettre sur son pick-up le chant interdit *Rifles of the I.R.A.* Aussitôt, les Anglais huent Struton tandis que les Irlandais — des dockers pour la plupart — reprennent en chœur la chanson subversive :

In Nineteen hundred and sixteen, the forces of the
[Crown

To take the orange white and green
Bombarded Dublin town.

Il s'ensuit une empoignade qui me met le sang en ébullition. Ceux qui, en se rendant à *L'Arc et la Flèche*, espéraient une soirée sortant de l'ordinaire, sont servis. Le lendemain, le patron affirmait à qui voulait l'entendre qu'en balayant, après ce magnifique pugilat, il avait trouvé des mèches de cheveux, les débris de deux ou trois appareils dentaires, des boutons de manchette, des cravates déchirées et, chose plus étonnante, un slip orné de dentelle. Les policiers, qui avaient emmené tout le monde, prétendaient que, depuis bien longtemps, ils n'avaient assisté à un pareil carnage. Le très honorable Bert Saddell, juge de la Couronne, ne put, en dépit de nombreuses questions, comprendre ce qui était arrivé. Néanmoins, le plus grand nombre des gens questionnés déclarèrent que les premiers responsables de cette bataille étaient une jeune fille et un Irlandais. Le juge regarda la personne qui parlait au nom des autres — une certaine Margaret Clovelly — et s'enquit doucement :

— En somme, si je comprends votre pensée, le reproche essentiel que vous adressez à cet homme, c'est d'être irlandais ?

— C'est bien cela, Votre Honneur !

— A votre avis, pourquoi est-ce une tare que de naître irlandais ?

— Mais, Votre Honneur, tous les Anglais savent que la majorité des Irlandais est composée de gens ne songeant qu'à se battre et à se soûler !

— Vraiment ?

— On dirait, Votre Honneur, que vous n'êtes pas au courant ?

— Oh ! si, Mrs Clovelly, et ce d'autant mieux que je suis irlandais.

La dame interrogée, stupéfaite et affolée, pousse une sorte de cri rappelant le brame du cerf. Le juge ajoute courtoisement :

— Sans doute, mes parents m'ont-ils procréé entre une bagarre et une soûlographie ?

— Votre Honneur, je ne voulais pas...

Sèchement, le magistrat décrète :

— Vingt livres d'amende ou cinq jours de prison.

Son marteau tombe comme un couperet. Mrs Clovelly se retire après avoir déclaré qu'elle préfère payer cependant qu'on amène, devant le tribunal, miss Laura Woolen qui, avec les morceaux de sparadrap constellant son visage boursouflé, a triste mine. Après un bref interrogatoire d'identité, le magistrat remarque :

— Il est rare qu'on rencontre des demoiselles de qualité dans un endroit comme *L'Arc et la Flèche* et, qui plus est, se crêpant le chignon comme autrefois les femmes de Covent Garden quand elles avaient forcé sur le gin.

— Votre Honneur, j'y étais allée pour rejoindre mon fiancé, mais il n'est pas venu.

— Ce gentleman me semble avoir été bien inspiré.

— Tout a commencé parce qu'il m'a menti ! Alors, exaspérée, je lui ai jeté mon verre de bière à la figure.

— A la figure ?

— Oui, Votre Honneur, et j'en ai bien honte.

— Dites-moi, miss, comment vous y êtes-vous prise pour jeter votre verre à la figure de quelqu'un qui n'était pas là ?

A partir de cet instant, les plaignants et les accusés se perdirent dans une confusion totale d'où, au bout d'un quart d'heure, le magistrat émergea, rouge et aphone, en tapant à tour de bras avec son maillet sur son bureau, en vue d'obtenir un silence relatif. Lorsque ce fut fait, il s'efforça de résumer la situation :

— Ladies et gentlemen, il suffit de témoigner d'un peu de bonne volonté pour que tout devienne très clair. Une jeune fille s'en va retrouver son boy-friend à *L'Arc et la Flèche* et, comme il n'est pas là, elle lui jette son verre de bière à la figure. Sur ce, un Irlandais qui, sans doute, n'aime pas qu'on s'en prenne à un fantôme, fût-il anglais, et qui, de surcroît, a reçu le verre destiné à un autre, se fâche et, d'une bourrade, envoie miss... miss... miss Woolen au sol, ce qui oblige cette dernière à adopter — temporairement — une attitude ne cadrant pas avec la modestie et la pudeur. Aussitôt, une sorte de Pasionaria britannique — Mrs Clovelly, se met à prêcher la guerre sainte contre les Irlandais. En réponse, Mr Struton est supposé avoir mis sur son pick-up un disque interdit parce qu'il contient des chants rebelles, mais très beaux. Et tout cela, ladies et gentlemen, pour un garçon qui était absent. Vous voyez que cela est logique ? Et c'est pourquoi, vous paierez chacun dix livres d'amende, sauf Mrs Clovelly qui en déboursera vingt pour avoir sciemment soufflé sur les braises d'un nationalisme périmé. Et maintenant, filez ou je vous flanque tous en cellule !

On se rue vers la sortie. Au moment où je vais, à mon tour, franchir la porte, un policeman me tape sur l'épaule.

— *Please, sir !*

Il m'oblige à me retourner et je vois le juge qui, d'un doigt crochu, doucement remué, m'invite à le rejoindre. Je m'exécute alors que mes derniers compagnons s'engagent dans la rue et je m'approche du tribunal.

— Donc, vous vous appelez Ed Baker ?

— Non, Votre Honneur.

Le magistrat ne paraît pas autrement surpris.

— Ah ?... Depuis tout à l'heure, vous avez rapidement changé de nom, enfin... Me montrerais-je indiscret en m'enquérant de votre véritable identité ?

— Patrick Mulcahy, de Mayoworth (Wyoming).

— Et qu'est-ce que vous faites dans la vie avec ce beau nom irlandais ?

— J'achète et je vends des chevaux.

— Est-ce dans ce but que vous vous trouvez à Londres ?

— Non pas, Votre Honneur. Londres est, pour moi, une étape sur la route de l'Irlande, plus précisément vers le Connemara où je me propose de découvrir le pays de mes ancêtres avant de retourner aux States.

— Un pèlerinage, en quelque sorte ?

— Exactement, Votre Honneur.

— Serait-ce un signe de mauvaise éducation que de vous demander le pourquoi de ce changement de nom ?

— Pour pouvoir m'éloigner en douceur d'une fille quand la tendresse est arrivée à son terme.

— D'après ce que j'ai eu à connaître des événements de *L'Arc et la Flèche*, votre méthode ne me paraît pas très au point... Mr Mulcahy, à Londres — surtout en ce moment — nous n'aimons guère les gens qui voyagent sous de faux noms.

— Mais, Votre Honneur, je vous ai expliqué que c'était...

— Je sais, je sais... Cependant, qu'est-ce qui me prouve que vous n'êtes pas là dans le but de déposer une bombe quelque part ?

— Moi ?

— Vous... Mr Mulcahy, comprenez qu'après ce que vous m'avez appris, je n'ai pas le droit de vous relâcher à moins qu'à Londres, une personne connue puisse répondre de vous.

— Marcus Lodge.

— Marcus Lodge, hein ? Où peut-on trouver ce gentleman ?

— Au Yard, où il est inspecteur.

Le juge en reste sans voix pendant un court instant, puis :

— Je fais téléphoner au Yard. Nous attendrons ce policier.

Nous passons les deux heures qui suivent à établir la liste des mérites comparés du whisky écossais, du whiskey irlandais, du bourbon et du rye américain. Mon interlocuteur tient que la première place revient de droit à un whisky « pur malt » tandis que moi, je soutiens que les alcools écossais doivent s'incliner devant un Jameson, irremplaçable dans la préparation d'un « irish coffee ». Seule l'arrivée de Lodge réussit à mettre fin à notre dispute et nous nous séparons sans que ni l'un ni l'autre ne rende les armes.

Les deux hommes gagnent le bureau du magistrat d'où ils resurgissent quelques instants plus tard.

— Vous êtes libre, Mr Mulcahy. L'inspecteur m'a tout expliqué. Cependant, donnez-moi dix livres comme les autres. Par esprit d'équité, n'est-ce pas ?

— Bien sûr, Votre Honneur.

Sur le trottoir de la chambre de simple police, Marcus me donne une solide tape dans le dos.

— Alors, sacrée tête d'Irlandais, vous avez réussi à nous débarrasser des filles !

— Un peu plus, ce sont elles qui se débarrassaient de moi !

Sans doute pour se faire pardonner le pétrin où il m'avait mis, Marcus m'accompagne à mon hôtel d'abord, à l'aéroport ensuite. Au moment où le haut-parleur appelle les passagers pour Dublin, Lodge et moi, nous nous serrons la main et nous disons adieu avec une pointe de regret car nous pensons, l'un et l'autre, que nous ne nous reverrons plus. Au fur et à mesure, tous ses moteurs grondant, que l'avion s'élève au-dessus de la piste, je m'efforce de distinguer le plus longtemps possible mon copain. Puis, en prenant de la hauteur, nous entrons dans un monde différent de celui auquel mon ami demeure rivé. Penser à Marcus m'incline — par une pente naturelle — à songer à ces hommes, à ces femmes que mon métier m'a fait rencontrer. Ils n'ont laissé dans ma mémoire que des silhouettes que les années écoulées rendent de plus en plus fantomatiques. Pour me débarrasser de cette mélancolie en train de m'envahir, j'évoque Mayoworth et Rosemary. Je retrouve très vite mon optimisme.

CON-NE-MA-RA... Je n'ai qu'à prononcer ces quatre syllabes pour qu'aussitôt mon grand-père et ma grand-mère surgissent devant moi et que je les entende raconter les merveilleuses légendes du vieux pays. A travers les nuages parmi lesquels vole mon avion abordant la côte irlandaise, je ne vois que du vert et je réalise pourquoi on parle toujours de la « Verte Irlande ».

De Dublin, je ne retiendrai pas grand-chose, sinon l'atmosphère triste, pour ne pas dire lugubre, du pub où je passe ma première soirée. Je ne comprends pas ce qu'on raconte autour de moi. Mes grands-parents sachant que leurs petits-enfants devraient vivre en Amérique estimaient préférable de s'exprimer en anglais devant nous. Ils ne parlaient le gaélique qu'entre eux, pour se réchauffer le cœur, prétendaient-ils. Un peu déçu. Toutefois, une chanteuse grande, maigre, aux cheveux décolorés, me touche en chantant, d'une voix rauque suant la misère et l'angoisse du lendemain, *La Ballade de Molly Malone* qui fait frémir le cœur de n'importe quel Irlandais. Pour moi, à travers la pauvre fille se démenant sur son estrade ridicule, dans la fumée et les exclamations grossières, j'écoute ma grand-mère qui fredonnait souvent cette chanson en vaquant aux soins de son ménage.

Ayant loué une voiture, j'abandonne sans regret Dublin et me dirige vers Galway. Je traverse cette dernière ville — porte du Connemara — sans trop y prendre garde tant je suis ému à l'idée de pénétrer enfin dans le vieux pays. J'ai déjà couvert pas mal de kilomètres et je commence à ressentir les picotements annonciateurs de la désillusion lorsque, d'un coup, le paysage change. Les tourbières remplacent les villas citadines, le flanc des montagnes se boursoufle et les cailloux y tiennent autant de place que l'herbe : des poneys et des vaches courtaudes errent au gré de leur fantaisie sans se soucier des passants. Quant aux brebis à tête noire, couchées au milieu de la route, allaitant leurs agneaux, elles m'obligent à de véritables acrobaties pour ne blesser ni la mère ni l'enfant.

Je roule doucement, confrontant mes songes à la réalité. Mes pensées sont bercées par le grondement continu d'une mer agitée. Je suis heureux. Enfin, j'atteins Leenan, la ville où mon grand-père — jeune homme — allait faire ses frasques quand il avait quelques sous en poche. Leenan... à la frontière de la Joyce Country où était née et avait longtemps vécu la race des Mulcahy.

Brendan Ardagh, propriétaire de l'hôtel *La Bannière de Boru*, me reçoit avec chaleur et, tout de suite, m'offre le verre de whisky témoignant de sa sympathie à mon endroit. Ma chambre possède le confort indispensable et, de ma fenêtre, j'aperçois la route menant à la Joyce Country. J'ai de la chance, dans les jours qui suivent, de bénéficier d'un temps où la pluie se laisse presque oublier. J'en profite pour me promener et quand un vieillard interrogé me dit avoir connu mon grand-père dans sa jeunesse, je suis ému aux larmes. Je le suis bien plus encore lorsqu'il me désigne un pan de mur semblant vaciller sous les rafales de vent, au bord d'une ravine. Il m'assure que c'est là, le berceau familial des Mulcahy. Je tâte ces pierres rongées par le temps. Je suis incapable de définir exactement ce que je ressens. Une joie profonde mêlée à un regret imprécis. Je contemple le paysage qui l'entoure, en essayant de graver dans ma mémoire les détails du terrain afin de pouvoir faire un rapport fidèle à mes parents. Peut-être mon père se souviendra-t-il, en m'écoutant, de quelque détail familier qui, pour un instant, lui rendra son enfance ou mieux, une enfance qu'il ne se rappelle qu'à travers les récits de son propre père. Comme je suis loin de Mayoworth et de ses prairies devant cette nature tourmentée où tout semble hostile à l'homme et pour laquelle, cependant, l'homme éprouve un attachement que rien ne peut atténuer. Même la douceur tranquille de Rosemary, dans mon souvenir, perd de son charme sous le choc des embruns, de l'odeur montant des tourbières, du galop des poneys aux crinières flottantes. Contre la sagesse et la quiétude, je prends viscéralement parti pour la poésie et la folie. Jamais je ne me suis senti aussi irlandais. En rentrant à l'hôtel, je commence à me demander si ma vraie place n'est pas ici, au Connemara.

Un jeudi, alors que je descends pour le breakfast, le patron de *La Bannière de Boru* me salue cordialement avant de me confier :

— Votre solitude va s'achever, Mr Mulcahy.

— Comment cela ?

— Une jeune personne — si j'en crois sa voix — m'a téléphoné de Dublin pour me demander si je pouvais la prendre en pension pendant une semaine ou deux. Elle a été gravement malade et a besoin de se reposer. Vous aurez, au moins, quelqu'un à qui parler !

Je n'ose pas lui répliquer que je n'ai nulle envie de parler, sauf aux autochtones. Si cette inconnue compte sur moi pour la distraire, elle sera bien inspirée de ne pas vider ses valises. Ainsi que j'en ai l'habitude, depuis mon arrivée à Leenan, je pars effectuer une longue marche. Ce jour-là, je choisis de suivre les petits chemins longeant le lac Fee. Une promenade merveilleuse, sous un ciel serein. A part deux paysannes portant des paniers de légumes et que je tente de saluer en gaélique — sans déclencher autre chose que leurs rires — je ne rencontre personne. Brendan Ardagh, l'hôtelier, ne se doute pas à quel point j'apprécie ce silence qui me semble un don du ciel que les hommes ont méprisé.

Lorsque, vers 1 heure, douché et rasé, je pénètre dans la salle à manger, je me sens en pleine forme, tant morale que physique et, tout de suite, je la vois. Je reçois un choc car, rarement, j'ai rencontré une femme aussi attirante. Pour faciliter le service ou pour faciliter notre premier entretien, Brendan a disposé mon couvert sur la table jouxtant celle de l'inconnue. Avant de m'asseoir, je la salue en déclinant mon identité :

— Patrick Mulcahy.

Elle lève vers moi un visage amusé où brillent des yeux presque verts qui ont la couleur de la mer.

— Oona Donoghue.

J'ai de la peine, pendant le repas, à ne pas la regarder. Elle me fascine. Elle est jolie, très bien faite — autant que j'en puisse juger — mais ce qui la rend irrésistible, à mon goût, c'est la mélancolie qui baigne ses traits. Cette fille est malheureuse, j'en suis convaincu et mon imagination irlandaise se donnant libre cours, j'invente sur-le-champ une histoire romanesque où, naturellement, je tiens le beau rôle. En dépit d'un temps magnifique, ma promenade de l'après-midi ne me contente pas comme celle du matin. Sans cesse, la silhouette menue, fragile de Oona vient me tenir compagnie et je ne trouve pas le courage de la chasser. A la vérité, j'ai un peu honte de me conduire comme un adolescent découvrant l'amour. Voilà une femme que je ne connais pas, dont je ne sais rien et que je pare de toutes les vertus, que je nimbe d'une auréole, sous prétexte qu'elle m'émeut. Mais, à quoi sert donc l'expérience, bon Dieu !

Parce que c'est plus fort que moi, le soir, après dîner, comme ma voisine me quitte après un bonsoir aussi rapide que neutre, je me risque :

— La douceur de l'air est exceptionnelle. Ça ne vous dirait pas de fumer une cigarette en ma compagnie, dehors ?

Elle accepte et, stupidement, mon cœur se met à battre la chamade. Une fois assis sur un banc rustique, nous restons un long moment silencieux et lorsque j'ose entamer la conversation, c'est pour débiter des lieux communs.

— Je plains ceux qui ne connaissent pas l'Irlande. Je ne pense pas qu'il y ait au monde un pays plus attachant.

Elle a un rire discret avant de répondre :

— Seul un Irlandais peut affirmer une conviction pareille !

— N'est-ce pas votre avis ?

— Si, je crois, mais je n'oserais pas l'énoncer de cette façon, de crainte qu'on se moque de moi... Vous êtes né ici ?

— Oh ! non... je viens de très loin, de très loin... Le Wyoming, vous connaissez ?

— Un Etat d'Amérique du Nord, n'est-ce pas ?

— Oui... A l'ouest plutôt. Seul, le Montana nous sépare du Canada.

— Vous habitez là-bas ?

— Une toute petite bourgade où l'on s'occupe davantage des chevaux que des hommes : Mayoworth.

— Vous avez de la chance !

— En quoi ?

— D'habiter un endroit où vous pouvez agir à votre guise sans être sans cesse surveillé, espionné.

— Par qui ?

— La curiosité publique. Vos parents ont émigré ?

— Mes grands-parents. Je suis venu visiter ce Connemara dont ils m'ont tant parlé dans mon enfance.

— Déçu ?

— Absolument pas. J'aimerais passer mon existence dans cette région pour renouer avec le passé ; il faut bien des générations pour que les émigrants se sentent, enfin, liés à leur nouvelle patrie. Je n'y suis pas encore parvenu.

— Qu'est-ce qui vous empêche de vous établir en Irlande ?

— Rien... J'hésite.

— Pour quelles raisons ?

— Franchement, je ne sais pas.

— Vous êtes marié ?

— Non.

Je manque lui confier que c'est à cause de Rosemary que je ne peux pas me décider, mais je m'abstiens. Je ne pose aucune question à ma compagne du moment. Quant à Oona — comme si elle se sentait obligée de répondre à mes confidences par d'autres confidences — elle dit :

— Mes grands-parents aussi ont émigré... Ils venaient du Derry, c'est-à-dire de l'Irlande qui est en train de brûler... Les miens sont allés moins loin que les vôtres. Ils se sont contentés de gagner Londres et d'y pourrir sur place.

— Vous n'exagérez pas un peu ?

Son ton devient plus âpre.

— Ils se sont installés dans un trou à rats de Whitechapel et ils sont consciencieusement morts de faim, passant à l'église l'heure pendant laquelle les autres déjeunaient. Ils sont morts de malnutrition, mais pieusement.

Ce cynisme me choque. Je ne sais si elle s'en rend compte, en tout cas, elle ne modifie ni son propos ni l'amertume de sa voix.

— Mon père avait la même mentalité, sans le courage des vieux, et les consolations de l'Eglise ne lui suffisaient pas. Il a demandé au whisky les réponses aux questions qui le torturaient. Il est mort dans une crise de délirium à quarante-neuf ans. J'avais seize ans. Avec ma mère, on s'est acharnées à la tâche pour ne pas crever comme des bêtes. Heureusement, j'avais réussi en tant qu'élève et j'ai pu entrer comme sténo-dactylo dans une affaire d'export-import du Strand. Epuisée, maman s'est laissée mourir alors que je commençais à bien gagner ma vie, au moment où j'aurais pu lui donner un peu de joie, en la sortant d'abord du taudis où la malheureuse avait toujours vécu.

Sur la fin de sa confidence, sa voix se met à trembler. On devine les larmes. Instinctivement, bouleversé par cette espèce de désespoir que je sens haleter près de moi, je pose ma main sur la sienne.

— Il faut essayer d'oublier... On ne vit pas avec les morts. Vous êtes mariée ?

— Ah ! non, alors ! Les pitoyables exemples de vie conjugale que m'ont offerts les miens ne m'incitent vraiment pas à renouveler leurs expériences !

— Ne pensez-vous pas que vous mettez injustement en accusation une institution alors que seuls les hommes sont coupables ? Mes parents ont été et sont très heureux.

— Ils ont eu de la chance.

Il se creuse encore un long silence. J'ai le sentiment que ma voisine essaie de comprendre ce que peut être le bonheur conjugal. Il eût fallu que je ne sois plus moi-même pour ne pas avoir le cœur rempli de tendresse pour cette jeune femme que la société avait si cruellement traitée. Elle me rappelle les pauvres gosses écrasant leurs frimousses envieuses contre les vitrines des confiseries, ces gosses qui me valaient d'être renvoyé parce que je leur donnais quelques-uns de ces bonbons qui leur faisaient écarquiller les yeux.

Elle respire vite, à la façon d'une personne qui a couru et cherche à retrouver son souffle. Je m'en veux de mes questions idiotes qui ont obligé cette malheureuse fille à retourner vers un passé exécré. Elle en revient épuisée.

— Pardonnez-moi de vous avoir ennuyée. Sans doute, êtes-vous ici pour vous reposer et...

Elle m'interrompt.

— Je vous en prie, ne vous excusez pas, vous ne pouviez pas deviner. Oui, je suis à Leenan dans l'espoir de recouvrer une santé qui me permettra de reprendre mon travail. Les gens se figurent qu'il suffit d'emmener un enfant pauvre à la montagne ou à la mer pendant deux ou trois semaines pour qu'il devienne semblable aux autres. Ce n'est pas vrai. Personne ne saurait lui donner ce qu'il n'a pas eu et dont l'absence le marque pour la vie. Bonsoir, Mr Mulcahy. C'est la première fois que je parle ainsi à quelqu'un... Vous avez dû prononcer les mots qu'il fallait. Bonne nuit.

Oona est partie depuis cinq ou six minutes et je suis toujours là, sur le banc où nous avions pris place. Il me semble que je l'entends encore respirer. Pauvre Oona... J'aimerais la connaître mieux. Je suis sans cesse attiré par ceux qui souffrent. Peut-être ai-je l'intime conviction que mon aide les sauverait. Vanité ? Je ne crois pas. Naïveté, plutôt, et un attachement profond aux anciens principes, jadis inculqués, touchant l'amour du prochain. C'est ce qui m'a rendu mon métier d'abord pénible, finalement odieux. Dans cette nuit irlandaise, où l'on n'entend plus le bruit mené par les hommes mais seulement les rumeurs de la mer venant de la baie de Killary, je m'interroge pour essayer de deviner si j'aurais été un bon père au cas où j'aurais mené une existence normale. Je pense que oui, mais qui pourrait m'affirmer quel eût été mon comportement devant une misère aussi effroyable que celle ayant accablé les parents d'Oona ?

— C'est quand même beau...

Sans que je l'aie entendu approcher, le patron est

debout, près de moi. Dans l'ombre, il esquisse un geste que je distingue à peine et ajoute :

— ... tout ça.

Ce « tout ça », c'est le village endormi, les arbres dont on perçoit le léger chuintement des feuilles sous un vent qu'on ne sent pas, la terre et, au loin, la mer. Je ne trouve rien d'autre à répondre que :

— Oui, c'est beau.

— Tant de gens préfèrent s'entasser dans les villes. Vous ne croyez pas, monsieur, que les hommes qui ne cessent de s'injurier et de se battre au nom de la liberté, ont oublié ce qu'elle est et à quoi elle ressemble ?

— Moi-même, je ne le comprends que depuis que je suis ici.

— Dans ce cas, monsieur, je souhaite et pour vous et pour moi que vous demeuriez à Leenan le plus longtemps possible.

Cet hôtelier philosophe me plaît et avant de monter dans ma chambre, nous nous offrons mutuellement une tournée de whisky.

Couché, j'essaie de lire, mais je ne parviens pas à détacher mes pensées d'Oona qui, dans son lit, pleure peut-être sur son enfance perdue. Au moment où j'éteins ma lampe, je me rappelle que je n'ai pas écrit à Rosemary.

Le lendemain matin, après avoir dégusté mon breakfast, j'attends longuement l'apparition d'Oona. Elle ne se montre pas. A 10 heures, je prends ma canne et m'en vais vers la mer. Par suite d'un phénomène que je ne comprends pas encore — ou qu'inconsciemment, je refuse de comprendre — cette solitude que, depuis le début de mon séjour, je savoure comme un don inespéré, aujourd'hui me pèse. Pourtant, je suis le même qu'hier (du moins, en ai-je la certitude), toujours amoureux des paysages du Connemara au point de rêver de ne plus le quitter. Je continue à envisager de m'unir à Rosemary avec une joie profonde, un peu moins exaltée mais plus sereine que lors de nos retrouvailles. Lorsque je songe à ce que sera notre existence, à Rosemary et à moi, je sens une chaleur douce, réconfortante m'envahir tout entier. Pourtant, il me faut bien admettre, afin d'être honnête envers moi-même, que ma tranquillité d'esprit n'est plus ce qu'elle était depuis... eh ! oui, là ! depuis qu'Oona m'est apparue dans la salle à manger de l'hôtel.

Je ne suis pas fier de moi. A mon âge, me laisser troubler par un visage si agréable, si gracieux soit-il, demeure inconcevable et ce, d'autant plus que je n'ai jamais été homme à me retourner, dans la rue, sur une silhouette féminine. Je ne partage absolument pas les goûts de mes collègues qui ne sortent d'un magazine plus ou moins pornographique que pour plonger dans un autre. Ils vivent littéralement dans un univers charnel dont les splendeurs fabriquées rendent moroses leurs rencontres pseudo-amoureuses.

Je m'en veux de témoigner d'une imagination d'adolescent boutonneux. Pour me délivrer, je décide de gagner ma chambre et d'écrire, avant le lunch, à Rosemary car je me rends compte, à présent, qu'Oona ne m'attire pas physiquement et que seul, le récit de ses malheurs, de son enfance gâchée, de sa santé fragile me porte à son secours. Manœuvre dangereuse, à laquelle il vaut mieux couper court. Je me lève du rocher où j'étais assis et, ayant aspiré à pleins poumons les effluves marins, je me retourne.

A quelques pas de moi, Oona me regarde en souriant.

— Par exemple, comment vous y êtes-vous prise pour me retrouver ?

C'est la première fois que je l'entends rire et ce rire léger, je ne sais trop pourquoi, me donne envie de rire à mon tour.

— O vanité masculine ! Figurez-vous, Mr Mulcahy, que je ne vous cherchais pas ! J'ai simplement eu envie de respirer l'air marin et le hasard m'a fait vous rencontrer. Déçu ?

— Profondément !

— Menteur ! Venez... Retournons à l'hôtel pour découvrir ensemble ce que Mr Ardagh nous a préparé pour le lunch.

— D'accord, mais après, je vous emmène pour une longue promenade en voiture dans la Joyce Country. Promis ?

— Vous devez sérieusement vous ennuyer pour vous contenter de la compagnie de quelqu'un qui tient à peine debout.

— Ne dites pas de sottises !

— Mr Mulcahy, vous m'êtes très sympathique mais, quoique vous protestiez, je sais parfaitement que seule la solitude vous pousse à vous intéresser à moi. Si une belle fille, bronzée, pleine de vie, venait s'installer à *La Bannière de Boru*, vous ne me prêteriez plus la moindre attention et vous auriez raison.

— Je ne crois pas. J'ai plus de trente ans, vous savez.

— Et alors ?

— Alors, les minettes, si jolies soient-elles, ne me préoccupent plus. Il est difficile de se plier à leurs fantaisies quand on a été au Vietnam. On cherche des êtres plus solides, avec une inclination particulière et spontanée — en ce qui me concerne — pour celles que la vie a malmenées.

Oona ne me répond pas immédiatement et quand elle s'y décide, elle ne badine plus.

— Vous êtes quelqu'un de bien, Mr Mulcahy. Je ne pensais pas qu'il existât encore des garçons comme vous... Je suis contente de vous avoir rencontré.

— Dans ce cas, vous ne refuserez pas la promenade que je vous offre ?

— Je ne peux pas. Après le lunch, je dois m'étendre pendant une heure ou deux. Je sors de clinique. Trois mois de lit ne vous donnent pas beaucoup de tonus. Une broncho-pneumonie est dure à surmonter.

— Vous vivez dans un sale climat.

— Oh ! plutôt que le climat, c'est ma jeunesse misérable que je paie.

Sans réaliser la familiarité de mon geste, je lui prends le bras et le serre légèrement. Elle ne se dégage pas.

— J'attendrai que vous soyez réveillée.

— Je ne tiens pas à gâcher votre après-midi.

— C'est au cas où vous ne viendriez pas que vous me le gâteriez.

Elle tourne vers moi son mince visage et, après m'avoir longuement regardé, murmure :

— Merci.

Et c'est elle, cette fois, qui me prend le bras.

Nous nous arrêtons au bord du lac Mask, au cœur de la Joyce Country. Un paysage capable de toucher les cœurs les plus secs et de rendre romantiques les esprits les plus matérialistes. Par endroits la vallée y conduisant se remplit d'une brume légère d'où émerge le sommet de petites collines couronnées d'arbres. De loin, on a l'illusion de contempler une escadre sur ses ancres. Oona s'étire à la façon d'une chatte repue.

— Je me sens tellement loin de Londres...

— Oubliez Londres !

— Ce n'est pas possible et je ne suis pas assez sotte pour tenter de me persuader que les vacances peuvent ne pas finir.

— Pourtant, si on ne rêvait pas...

— Ah ! voilà l'Irlandais qui se manifeste !

— Je n'en éprouve aucune honte. Si, depuis des siècles, les Irlandais ne s'étaient pas réfugiés dans le rêve, il n'en resterait plus beaucoup aujourd'hui. Où auraient-ils trouvé le courage de vivre ?

— Hélas ! On finit toujours par se réveiller, à quoi se raccrocher, alors ?

— A la haine. Vous en avez un horrible exemple en Ulster où l'on ne sait plus exactement pourquoi l'on se tue.

Nous demeurons un moment à suivre le vol des mouettes dans le ciel qui, tournant au gris, redevient un ciel irlandais dont la pâle lumière vous rend plus sensible aux nuances. Oona soupire :

— Quand j'étais petite fille, je me figurais — sans doute pour entretenir en moi l'espoir d'un changement futur — que seul le monde m'entourant était mauvais. Maintenant, je sais que du début à la fin d'une vie, il reste impitoyable aux faibles, aux pauvres. Dites donc, Mr Mulcahy, nous n'avons pas une conversation bien gaie pour des gens en vacances ?

— Peut-être parce que nous sommes irlandais ?

— Oubliez notre origine et racontez-moi quelque chose d'amusant !

Pour la distraire, je lui peins un tableau exact de mes débuts dans l'existence et le mal fou que j'ai eu à gagner mon pain. Le récit de mes échecs successifs et de leurs causes fait rire Oona aux larmes.

— Au fond, Mr Mulcahy, vous avez le cœur tendre... trop tendre, peut-être ?

— Je le crains.

— Vous le regrettez ?

— Oui, vu les innombrables ennuis que cette sentimentalité imbécile m'a rapportés...

— En somme, vous êtes le bon garçon toujours prêt à se porter au secours des malheureux et plus particulièrement, sans doute, des demoiselles en détresse ?

— Ne vous moquez pas, vous me peineriez.

— Cher Mr Mulcahy... Puis-je vous poser une question délicate ?

— Allez-y !

— Est-ce parce que j'ai traversé des moments pénibles que vous vous intéressez à moi ?

— Je... je ne sais pas... je ne pense pas.

— Pourquoi, alors ?

— Est-ce qu'on comprend toujours pour quelles raisons des gens vous sont sympathiques et d'autres non ?

Oona m'examine à la façon des gosses regardant une girafe dans un zoo et qui n'en croient pas leurs yeux. J'en suis gêné. Elle s'en aperçoit.

— Ne vous fâchez pas, Mr Mulcahy, mais j'ai si rarement l'occasion de rencontrer un aussi chic type que vous.

— Merci, miss.

— Appelez-moi Oona, je vous appellerai Pat.

De retour à *La Bannière de Boru*, le patron, pendant que nous buvons notre whisky vespéral, me chuchote :

— Puis-je me permettre de placer vos deux couverts à la même table ?

Je n'ai encore pas écrit à Rosemary, ce soir-là.

J'achève ma toilette matinale lorsque, subitement, une sorte de voix intérieure me demande :

« Qu'est-ce que tu cherches exactement, Pat ? »

Et je m'aperçois que je ne peux répondre à cette question, non par ruse mais parce que honnêtement, je suis incapable de le faire. Le visage à moitié rasé, je me laisse tomber dans le fauteuil à bascule, ornement essentiel de ma chambre. J'ai beau m'efforcer de penser à Rosemary, c'est le visage d'Oona qui, sans cesse, s'impose à moi. Pourquoi ? Peut-être parce que j'ai l'obscure certitude que Rosemary — telle la femme forte des Ecritures — n'a nul besoin de s'appuyer sur l'épaule de quelqu'un pour suivre son chemin. Au contraire, Oona n'est que fragilité. Elle a cru pouvoir échapper au ghetto de la misère et mener, seule, une existence paisible et digne. Malheureusement, on ne lui a pas appris à vivre.

Tandis que je m'habille, j'essaie de me morigéner. Sans être un don Juan, j'ai eu ma petite part d'histoires féminines et je n'en ai pas gardé un seul bon souvenir. Le scénario est toujours identique : je me persuadais que la fille rencontrée ne ressemblait pas aux autres, je lui prêtais des sentiments qu'elle n'avait pas mais qui correspondaient à ceux que je souhaitais et la catastrophe se produisait : un jour, je l'apercevais avec un rival ou je la surprenais, fouillant dans mon portefeuille. Avant de nous séparer, elle ne manquait jamais — qu'elle soit blonde ou brune ou rousse — de m'injurier pour conclure que j'étais un pauvre type et un jobard. Ma dernière aventure londonienne n'était pas de nature à modifier mon point de vue sur les demoiselles dont une vertu rigide n'était pas la qualité dominante. Alors, pourquoi suis-je sur le point de retomber dans le piège ? Pour quelles raisons me montrais-je si empressé auprès d'Oona ? Enfin, ma vie est à Mayoworth, avec Rosemary ! Je ne vais tout de même pas sacrifier celle que j'aime depuis toujours à une fille dont je ne sais pratiquement rien ! Une fille qui, le cas échéant, me jouera la comédie que m'ont jouée ses devancières ! Seulement, échappant à la logique, quelque chose en moi m'assure qu'Oona est un être à part, épuré par la douleur et la misère. Je suis sûr que je peux ajouter foi à ce qu'elle m'a confié et puis, son besoin de protection me bouleverse. C'est plus fort que moi, j'ai un cœur de saint-bernard ! et comme, au fond, dans ce domaine, je suis un peu lâche, j'accumule de méchantes raisons pour justifier mon injustifiable attitude : je n'ai pas le droit d'abandonner Oona après ses confidences, se résumant en un véritable appel au secours mal déguisé. Qu'est-ce qui m'empêche d'ajourner de trois ou quatre semaines mon retour aux U.S.A. ? Rosemary était assez solide et assez saine pour ne pas attribuer de vilaines raisons à mon retard, en bref, j'essayais de me persuader que je n'étais pas un parfait salaud. Je n'y parvenais pas très bien.

Nous étions convenus de nous rendre aux îles d'Aran. Sur la route de Galway où nous devions embarquer, Oona et moi ne parlions guère, tout à la joie d'être ensemble (du moins l'imaginais-je) dans un pays qui nous plaisait, et de rouler sous ce ciel gris, lumineux où court un vent rabotant la terre irlandaise depuis le commencement du monde. Ma compagne posa sa main sur mon bras, doucement, à la manière de la feuille automnale qui, détachée de l'arbre, descend avec lenteur vers le sol.

— Je suis heureuse, Pat.

— Moi aussi, Oona.

Nous ne jugeons pas utile d'en dire plus.

A Galway, nous embarquons sur un petit bateau qui assure la traversée entre cette partie de l'Irlande et Inishmore, la plus grande des îles d'Aran. Sans être méchante, la mer est agitée par une puissante houle qui nous secoue sévèrement. Les vagues, en s'écrasant sur la coque, retombent en gerbes d'écume qui nous fouettent, nous mouillant le visage. Oona rit. Moi, j'ai hâte que le voyage se termine car je n'ai pas le pied marin. Je ne tiens pas à être malade devant elle. Nous débarquons à Kilronan et sortons très vite du village. Le paysage est magnifique. Je devine qu'Oona et moi communiquons dans une même ferveur admirative. Le vent ne s'apaise pas. Nous marchons d'un bon pas vers Oghil et son fort préhistorique. Moi qui vis en Amérique où le passé n'existe pas beaucoup, je suis toujours ému quand j'ai l'occasion de rencontrer les témoins d'un autrefois que je ne peux qu'imaginer. En passant ma main sur les pierres sèches de la deuxième enceinte, j'ai du mal à me persuader que ces restes datent d'avant l'histoire. De là, je glisse vers des considérations plus philosophiques : que pèsent nos passions vis-à-vis de ce poids de siècles écrasant nos vaniteuses mémoires ? Nous n'avons pas intérêt à frotter nos espérances et nos regrets aux murailles du temps. Instinctivement, je m'accroche aux épaules de ma compagne et je chuchote un lieu commun :

— Nous ne sommes pas grand-chose, n'est-ce pas ?

Elle secoue la tête.

— Nos colères, nos peines, nos calculs, nos déceptions deviennent grotesques comparés à cette mer qui ne connaît pas la fatigue, à ces pierres immobiles qui ont déjà mesuré un nombre de siècles dont nous ne saurions nous faire une idée. Merci de m'avoir amenée là. Quel beau souvenir, pour plus tard !

— Moi non plus, je n'oublierai pas.

Revenus à Kilronan, les joues brûlées par le vent, nous nous installons dans une sorte de cabane où nous mangeons du poisson en buvant de la bière. A table, nous bavardons à bâtons rompus, c'est-à-dire que l'un et l'autre, nous prenons garde à ce que nos propos ne nous entraînent pas sur des chemins où nous refusons, pour l'heure, de nous risquer. Il arrive, cependant, que notre attention se relâche et que l'un de nous deux s'aperçoive que, s'il continue sa phrase, il ne pourra plus reculer. Alors, brusquement, il se tait et cela met dans notre conversation, des trous, des « blancs » dont nous feignons de ne pas nous rendre compte. Un jeu hypocrite où nous nous efforçons, plus ou moins maladroitement, de tenir notre partie. Nous sommes en train de boire — pour nous réchauffer — un « irish coffee » où le whisky n'a pas été ménagé, lorsque Oona, reposant son verre, me demande d'une voix grave :

— Pat..., puis-je vous poser une question ?

— Bien sûr !

— Mais avant, je voudrais être certaine que vous y répondrez avec franchise.

— Vous avez ma parole.

Elle prend une profonde inspiration avant de dire, sans oser me regarder en face :

— Personne encore n'a été, avec moi, aussi gentil, aussi empressé que vous l'êtes. Pourquoi ?

— Pardon ?

— Pourquoi agissez-vous de la sorte ? Seriez-vous à la recherche d'une... d'une aventure ?

— Certainement pas !

— Alors ?

— Alors, je n'en sais rien moi-même, mais peut-être que vous, vous pourriez m'expliquer ?

— Oh ! c'est très simple, Pat... Si vous ne cherchez pas l'aventure, c'est que vous êtes amoureux de moi.

Sous le coup de l'émotion, j'avale de travers et la patronne — une robuste Irlandaise qui sent le varech et la crotte de mouton — vient à la rescousse d'Oona et, à grand renfort de coups dans le dos qui m'ébranlent tout entier, m'empêche de suffoquer. Lorsque je reprends haleine, je balbutie d'une voix étranglée un merci ressemblant à un couinement de canard. Consciente d'avoir rempli son devoir, notre hôtesse regagne sa cuisine et j'essuie mes yeux pleins de larmes en bredouillant des excuses inaudibles. Sur le visage d'Oona, l'inquiétude laisse la place à l'amusement :

— Eh bien ! dites donc ! cela vous arrive souvent ?

— C'est de votre faute !

— Par exemple !

— On n'a pas idée de lancer des choses pareilles sans prévenir !

— Parce que vous, vous ne le savez pas ?

— Laissez-moi tranquille...

Oona, à travers la table, me prend la main.

— Pat, vous ne m'aimez pas ? Je me suis trompée ?

— Non.

— Dans ce cas, pourquoi ne pas l'avouer ?

— Ça m'amènerait à quoi, sinon d'être ridicule à vos yeux ?

— Une femme ne trouve jamais ridicule celui qui assure l'aimer.

— Cessons de jouer, voulez-vous ?

— Mais, je ne joue pas, Pat... Je désirais seulement savoir, voilà tout et... et je suis contente.

La corne du petit bateau rappelant les retardataires m'arrache à mes songes. Je prends la main d'Oona pour descendre vers le quai. J'effectue le voyage de retour dans une sorte d'état second. Je ne sais plus bien ce qui m'arrive. Déjà, un remords cuisant s'installe au creux de ma poitrine : Rosemary.

Lorsque, à Galway, je me mets au volant de ma voiture, je dois faire une telle tête que ma compagne s'en inquiète :

— Quelque chose qui ne va pas, Pat ?

J'attends d'être sur la route du Connemara pour arrêter l'auto.

— Oona... j'espère que vous ne vous amusez pas de ce que j'ai eu la faiblesse de vous révéler... Aussi stupide et irraisonné, par sa rapidité, que soit mon amour pour vous, le fait est là, je vous aime et je serai très malheureux lorsque vous quitterez Leenan.

— Qui vous dit que j'ai envie de m'en aller ?

Je mets du temps à réagir.

— Quoi ?... Vous aussi, vous m'ai...

Elle m'attrape par le cou, m'attire jusqu'à elle et pose ses lèvres sur les miennes. Puis, s'écartant :

— Etes-vous convaincu, à présent ?

— Oona... Oona !

Cette fois, c'est moi qui l'embrasse et je murmure :

— Pour longtemps, chérie ?

— Aussi longtemps que vous le voudrez, Pat.

Adieu Rosemary.

Au soir de cette journée mémorable, Oona se déclare fatiguée et gagne sa chambre. La vérité est qu'après nos aveux mutuels, nous nous sentons un peu désemparés. Tous deux et, vraisemblablement elle plus que moi, avons besoin de réfléchir et de prendre une décision quant à notre avenir immédiat et commun.

Oona partie, je reste seul, plongé dans mes pensées. C'est vrai, j'aime cette fille rencontrée depuis peu. Je sais maintenant que le coup de foudre existe. Je me figurais profondément attaché à Rosemary, à Mayoworth et voilà que je suis prêt à les abandonner tous deux, au profit d'Oona et du Connemara. J'étais loin de me douter d'une pareille aventure en quittant Washington. J'espère que mes parents comprendront, mais Rosemary ?

Pour échapper à ce débat intérieur et ne pas rester seul, en tête à tête avec mes problèmes, j'invite le patron à boire un verre. J'ai l'impression qu'il s'y attendait.

— Alors, Mr Mulcahy, des soucis ?

— Oui... Il est difficile de vivre sans infliger de la souffrance à quelqu'un.

— Bien sûr... Toutefois, vous ne pensez pas qu'avec une légère dose de bon sens, on pourrait éviter ces tracas ? Il est vrai que nous autres, Irlandais, nous avons horreur du bon sens...

— Pourquoi me racontez-vous ça ?

— Parce que vous êtes irlandais et donc un peu fou, comme nous tous.

Le bonhomme m'échappe. Parle-t-il pour parler ou entend-il me donner un avertissement ? A-t-il deviné mes sentiments à l'égard d'Oona ? Brendan est loin d'être sot.

— Vous estimez, Mr Ardagh, que nous sommes incapables d'agir sagement ?

— Que non ! mais alors c'est par hasard. Comprenez-moi bien, Mr Mulcahy, nous ne sommes pas des imbéciles et pourtant, depuis que l'Irlande est sortie des flots, ses habitants sont persuadés que la réflexion tue l'enthousiasme sans lequel on ne saurait entreprendre quoi que ce soit de valable. Partant de là, on agit d'abord, ensuite on s'interroge sur la nécessité de cette action. Il n'est pas rare de voir, dans un pub, deux types se cogner dessus avec une conviction totale et d'entendre, quand enfin ils s'arrêtent, l'un demander à l'autre : « A propos, Jim, pourriez-vous me rappeler pour quelles raisons nous nous sommes battus ? — Ma foi, Sean, je n'en sais foutre rien... mais on a bien rigolé tout de même ! » Tous fous... Malheureusement, on ne saurait entretenir des illusions sa vie entière. Un jour, il faut ouvrir les yeux.

— Alors ?

— Alors, on se soûle pour essayer de les refermer.

Contrairement à ce que je redoutais, je me suis endormi à peine couché. Le voyage, l'air marin m'avaient fatigué plus que prévu. Un sommeil sans rêves m'aurait conduit jusqu'au milieu de la matinée si, à huit heures, une série de coups dans la porte ne m'avait fait sursauter sur ma couche. Un tantinet hagard — parce que mal réveillé — je songe tout de suite à un accident survenu à Oona et je crie : « Entrez ! »

La porte s'ouvre.

— Comment va le citoyen de Mayoworth ?

Souriant, Marcus Lodge se dandine sur mon seuil.

CHAPITRE III

Stupidement, je répète :

— Ça alors... ça alors...

Marcus s'assied au pied de mon lit.

— Remettez-vous, mon vieux !

— Mais enfin...

— Pourquoi et comment je suis ici ? Pour deux raisons très simples : un congé de huit jours et l'envie de voir ce Connemara dont vous m'avez rebattu les oreilles avec, en prime, le plaisir de vous retrouver. Satisfait ?

— Surtout de vous revoir.

— Je ne vais pas vous gêner, j'espère ?

— Vous ! Vous plaisantez !

— Alors, tant mieux ! Au fond, je m'étais assez facilement persuadé que vous vous ennuyiez !

— Quelle idée !

— Vous savez, Pat, de Londres, la campagne apparaît soit un paradis perdu, soit un désert où seuls les autochtones réussissent à vivre.

— C'est un paradis !

— Voilà la vraie raison qui m'amène à Leenan : connaître le paradis sous votre parrainage.

— Je m'y efforcerai...

— Et Mayoworth ? Vous en rêvez toujours ?

— Pourquoi aurais-je changé ?

— Je gage que vous écrivez tous les soirs à votre chère Rosemary ?

— Quand même pas !

— Vous ne trouvez pas curieux que l'amour fasse de nous des épistoliers ? Vélin ou papier d'écolier, on écrit... on écrit... on écrit... Puissance des mots... Sur ce, je vous laisse à votre toilette et avec votre permission, je vais dévorer un copieux breakfast. Je vous attends en bas.

Resté seul, j'essaie d'évaluer les embêtements que me réserve la visite imprévue de Lodge. De quelle façon m'y prendre pour que Marcus et moi ne continuions pas à nous entretenir sur deux plans différents ? Lui, c'est le Wyoming, Mayoworth et Rosemary. Moi, c'est le Connemara, Leenan et Oona. L'un persuadé que l'autre pense comme lui — et c'est l'Anglais — risque de commettre pas mal de bévues. Je n'ai jamais parlé de Rosemary à Oona. Quelle sera sa réaction ? En vérité, Lodge aurait été bien inspiré de rester au Yard au lieu de venir chambouler ma quiétude. Quelle attitude dois-je adopter vis-à-vis d'Oona ? J'aurais mieux fait de tout confesser à mon ami, cela eût peut-être évité des gaffes que je redoute et prévois. Alors, un seul programme peut me sauver : procéder à une toilette rapide en suppliant Dieu — qui aime beaucoup les Irlandais, m'assurait ma grand-mère — de me permettre de rejoindre Marcus avant qu'Oona n'ait quitté sa chambre.

Mon plan manque réussir. Quand je passe la porte de la salle à manger, Lodge est seul et s'empiffre avec entrain. Le patron me salue et chuchote :

— La famine doit régner à Londres...

Au moment où je me penche vers mon copain, voilà mon Irlandaise qui paraît et je n'ai que le temps de murmurer :

— Je vous en prie, aucune allusion à Rosemary devant cette jeune personne.

Il tourne légèrement la tête pour regarder Oona et grogne :

— Je vais finir par croire que vous êtes le don Juan du Wyoming. Vous pouvez compter sur moi.

— Venez nous rejoindre quand vous en aurez terminé.

Sur ce, je lui flanque une tape sur l'épaule et file rejoindre Oona qui m'interroge :

— Un ami ?

— Harry Dobson... il arrive de Manchester.

— Qu'est-ce qu'il y fait ?

Je dissimule mon embarras sous une désinvolture qui n'est qu'apparente.

— Que voulez-vous qu'on fasse à Manchester, sinon s'occuper de tissus ? Harry achète et vend de la laine. Un as dans sa partie, paraît-il.

— Il savait que vous étiez ici ?

— Nous nous sommes rencontrés à Londres... Dans un bar... Un type qui bavait sur les Irlandais. J'ai fini par lui cogner dessus. Ce salaud avait des copains. Sans Harry, j'aurais vécu un vilain quart d'heure.

— Rien que pour cela, il m'est sympathique.

— J'étais seul, lui aussi, et nous avons passé huit jours à jouer les touristes. Il m'a assommé avec ses histoires de textile et moi, je l'ai accablé avec l'Irlande et le Connemara.

— Apparemment, vous vous êtes montré plus convaincant que lui puisque le voilà !

— Tandis que je n'ai pas acheté un mètre de tissu !

Nous nous mettons à rire et je confesse à Oona :

— Je ne savais comment vous aborder ce matin.

— Parce que ?

— Parce que après ce qui s'est passé entre nous, hier... Si je n'avais écouté que mon cœur, je vous aurais, tout de suite, prise dans mes bras.

— Je suis étonnée que vous ne vous soyez pas laissé aller à votre élan, Pat et... je le regrette.

— Chérie, si je n'étais pas intoxiqué par mon éducation, je serais capable de vous arracher de votre chaise et de vous emporter je ne sais où.

— A pied, vous n'iriez pas loin ! Allez donc chercher votre Anglais qui me semble fort impatient.

Je rejoins Marcus et, tournant le dos à Oona, je dis très vite :

— Vous êtes Harry Dobson, de Manchester.

— Pourquoi Manchester ?

— A cause du textile.

Ma réponse le plonge dans une incompréhension totale dont il triomphe rapidement pour me lancer, jovial :

— Ça va de soi !

Marcus s'incline avec grâce devant mon Irlandaise. Je les présente et Lodge, après avoir assuré à Oona qu'il est enchanté de cette rencontre, s'assied à notre table. Je note, dans le regard de notre compagne, une certaine méfiance. L'arrivée inopinée de Lodge la surprend et je sens qu'elle a du mal à ajouter foi à mon histoire.

— Vous arrivez de Londres, Mr Dobson ? Quel temps y fait-il ?

Piège ou oubli ? Quoi qu'il en soit, mon ami est trop fin renard pour se laisser prendre aussi facilement.

— Pas de Londres — que je connais très mal — mais de Manchester.

— Une ville noire et triste à ce que l'on raconte ?

— Mais non ! Sans doute, comme toutes les villes où l'on travaille dur, on n'y est pas gai, gai, gai, mais moi, je m'y plais bien, peut-être parce que j'y suis né.

En voilà une autre ! Il y va fort, le Marcus ! Imperturbable, il continue :

— Pourtant, je n'ai pas vu le jour dans un quartier résidentiel mais dans un des coins où l'on n'aperçoit guère le ciel tant il y a de la fumée. Ma mère m'assurait qu'il y avait des heures où elle était obligée de chercher ma bouche avec ses doigts pour ne pas me flanquer la tétine du biberon dans l'œil. La situation a un peu évolué. Maintenant, j'habite au sud de la ville, dans Chorlton Street.

Je dois reconnaître qu'il m'en bouche un coin. Oona déclare :

— Et cette enfance pénible ne vous a pas marqué ?

— Pas du tout. Je me suis efforcé d'oublier et je crois y être parvenu.

— Je vous envie.

— Quoi ? mes souvenirs d'enfance ? Il ne sont pas tellement agréables...

Il en fait trop, mais Oona a l'air de marcher.

— J'ai des souvenirs identiques, Mr Dobson, et moi, je ne réussis pas à m'en défaire.

— Je sais que c'est difficile et il y faut pas mal de volonté. Le travail peut aider.

— Pas dans mon cas, du moins jusqu'ici. (Elle m'adresse un sourire confiant.)

— Le nom que vous portez m'apprend que vous êtes irlandaise. Vous travaillez à Dublin ?

— Non, à Londres. Chez Brewster and Co, dans le Strand.

Je commence à en avoir assez d'être mis à l'écart de la conversation et je me lève.

— Nous ne sommes pas là pour tenir salon. Allez hop ! Allons renifler l'odeur de la mer.

Oona nous quitte un instant pour monter se chausser. Lorsqu'elle a disparu dans l'escalier menant aux chambres, je murmure à Marcus :

— Je ne savais pas que vous étiez né à Manchester.

— Moi non plus.

— Vous avez un certain culot, non ?

— Je vous ferai remarquer, Pat, que c'est vous qui m'avez choisi ma ville natale. Je n'ai pas encore compris pourquoi, d'ailleurs.

— Je ne le sais pas. Simplement, je tenais à ce qu'Oona n'apprît pas votre véritable métier.

— Pour quelles raisons ?

— Je ne souhaite pas vous vexer mais un flic, ça n'inspire pas confiance.

— Vous avez, quand même, de drôles d'idées, vous autres, les Irlandais, et c'est d'autant plus curieux que l'Irlande est un réservoir à flics pour la police américaine.

Cessant de poursuivre dans cette voie, j'aborde un sujet qui m'intéresse bien davantage.

— Comment trouvez-vous Oona ?

— Vous ne l'appelez déjà plus miss Donoghue ?

— Peu importe. Répondez-moi...

— Je suppose que si je ne vous avouais pas qu'elle est charmante, vous me prendriez pour un crétin. Elle est charmante et, rassurez-vous, je suis sincère. La seule chose qui me choque un peu, c'est cet air de chien battu qui m'ôterait l'envie de la courtiser, le cas échéant.

— Vous n'êtes pas passé par où elle est passée.

L'enfance malheureuse à Manchester que vous avez inventée, elle l'a vécue à Londres et en a été marquée... Elle aura beaucoup de mal à l'oublier, si jamais elle y parvient.

— Et vous êtes son infirmier ?

— Ne vous moquez pas, Marcus.

— Bon...

Oona de retour, nous partons tous les trois pour une promenade dans les environs immédiats de Leenan. Le soleil étant de la partie, nous goûtons le plaisir d'être ensemble dans un pays qui nous plaît. A 1 heure, le lunch ne nous sépare pas. Ainsi qu'elle en a l'habitude, miss Donoghue nous abandonne, tout de suite, après le dessert. Marcus allume sa pipe et m'invite à monter dans sa chambre où nous serons plus à l'aise pour bavarder. Mon hôte du moment m'offre l'inévitable fauteuil à bascule tandis qu'il s'assied sur l'unique chaise.

— Pat, mon vieux, il faut m'excuser... Je vous imaginais seul et c'est pourquoi je me suis permis de venir vous déranger.

— Mais vous ne me dérangez pas ! De plus, je suis très heureux de vous revoir.

— Je n'en suis pas certain... Et, puis-je vous poser une question indiscrète ?

— Allez-y, je serai toujours libre de ne pas y répondre.

— Avez-vous encore l'intention de rentrer à Mayoworth et d'épouser Rosemary ?

— Je ne crois pas.

— Ah ?... Vous ne savez pas dissimuler, Pat, et, pour cette faiblesse, je vous aime bien. Sitôt que je vous ai vu, j'ai deviné que vous n'étiez plus le même. Alors, adieu au Wyoming, aux chevaux, à Rosemary, et aux souvenirs d'enfance ?

— Oui... Oh ! je me doute de ce que vous pensez mais Oona est une fille de la ville, incapable de vivre à Mayoworth... Nous irons à Washington...

— Vous reprendrez le métier ?

— Certainement pas.

— Si je comprends bien, vous êtes en pleine lune de miel ?

— Au prologue, seulement.

Marcus n'a plus envie de plaisanter.

— J'espère, cependant, Pat, que vous réfléchirez encore avant de couper les amarres.

Il commence à m'embêter et c'est pourquoi je ne proteste pas lorsqu'il remarque, en quittant la chambre :

— Je réalise, maintenant, à quel point ma subite présence peut être inopportune. Vous m'excuserez auprès de miss Donoghue pour cet après-midi.

— Que lui raconterai-je ?

— La vérité quant à la maladresse de mon irruption dans votre vie privée. Vous la persuaderez que, quoi qu'elle en pense en tant qu'Irlandaise, les Anglais aussi peuvent se montrer discrets. Si vous l'acceptez, je vous invite tous deux à dîner demain, à Galway.

Je le regarde s'éloigner et je ne me sens pas à mon aise. Peut-être parce qu'à travers la voix de Lodge, j'entends l'écho du chagrin de Rosemary lorsqu'elle saura...

J'ai expliqué à Oona l'absence de Marcus. Elle a très bien accepté la chose. En prenant place à mon côté, dans la voiture, elle remarque :

— Votre ami a du tact. Une qualité rare chez un homme. Il me devient très sympathique.

— Pas trop, j'espère... Autant vous l'avouer sans plus attendre, je suis d'un naturel jaloux.

— Je ne vous donnerai pas l'occasion de montrer ce vilain défaut.

— Tant mieux car, demain, Harry nous invite à dîner à Galway.

Nous arrivons à Louisburgh et gagnons la côte de Clew Bay. Nous choisissons un creux de rochers où nous pouvons nous installer, à l'abri du vent et avec un magnifique panorama marin sous les yeux. Je vois Oona de profil. La clarté du ciel et le souffle profond de la mer s'unissent pour ébouriffer légèrement ses cheveux et lui confectionner une sorte d'auréole.

— Oona...

Je ne peux en dire plus long. Elle se tourne vers moi.

— Qu'est-ce qu'il y a, Pat ?

— Je vous aime...

— Moi aussi. Vous le saurez, désormais.

Je la prends dans mes bras et la serre contre moi. Elle ronronne. Je l'embrasse sur le front, sur le nez et elle lève un peu la tête pour que j'attrape ses lèvres. Un baiser qui n'en finit pas et où je mets toute ma soif de bonheur. Ce baiser a un autre goût que celui — presque fraternel — échangé avec Rosemary. Sans relâcher mon étreinte, je chuchote :

— Heureuse ?

— Oui, parce que j'ai confiance. Vous êtes le premier auprès de qui je me sente en sécurité.

— Oh ! ne vous montez pas la tête, je ne vaux pas mieux que les autres.

— Ce n'est pas vrai... Avec vous, on a l'impression qu'on peut se laisser vivre, les yeux fermés.

Tout devient simple, facile. Il suffit de vous donner la main, on est sûr d'avancer dans le bon chemin, sans accroc. On est tranquille et, pour une femme, c'est merveilleux.

— N'exagérez pas, chérie. Je n'ai pas toujours suivi la ligne droite. J'ai effectué quelques embardées.

— Je n'avais pas l'intention d'épouser un saint. Je suis convaincue que vous êtes de ceux qui, quoi qu'il arrive, tiennent bon. Vous êtes fort, vous le savez et je le sais. On peut, sans la moindre appréhension, vous laisser le gouvernail. Les femmes préfèrent — du moins, les femmes comme moi — être guidées et qu'un autre prenne les soucis à leur place.

Je lui caresse tendrement le visage.

— Et moi qui me figurais que les Londoniennes, enfermées dans leurs bureaux ou dans leurs logements étroits, rêvaient d'aventures lointaines.

— Elles rêvent d'aventures mais elles aiment la sécurité.

— Et le bonheur, miss Donoghue, qu'en fait-on ?

— J'imagine que le bonheur vrai, Mr Mulcahy, c'est d'être certain d'en avoir encore demain et les jours à venir.

Je montre la mer grise où des vagues frangées d'écume se courent après.

— Serions-nous tout à fait ridicules si... si nous nous embrassions encore un peu devant tous les poissons qui nous regardent peut-être ?

— Ils n'ont qu'à ne pas regarder !

Nous nous étreignons passionnément. Ensuite, je me lève, mets de l'ordre dans mes vêtements et, m'inclinant devant ma compagne :

— Miss Donoghue, voulez-vous me faire l'honneur de m'accorder votre main ?

— Avec plaisir, Mr Mulcahy.

Et nous voilà de nouveau enlacés. Nous finissons quand même par nous séparer et reprenons place dans notre abri rocheux.

— Oona, que diriez-vous de profiter de ce qu'Harry nous invite à dîner, demain, à Galway, pour lui annoncer nos fiançailles ?

— Excellente idée... J'espère qu'il ne me tiendra pas rigueur de lui enlever son ami ?

— Oh ! vous savez, Harry est un copain de passage, rien de plus. Quand nous nous sommes quittés à l'aérodrome, je ne pensais pas le revoir, n'ayant pas pris au sérieux sa promesse de me rendre visite. Nous marierons-nous en Irlande, en Angleterre ou en Amérique ?

Elle se pelotonne contre moi.

— Le plus tôt sera le mieux.

— Alors, à Dublin. O.K. ?

— O.K. !

— Et après la noce ?

— Une femme ne doit-elle pas suivre son mari ? Nous partirons ensemble pour New York et puis où vous voudrez.

Je ne tiens pas à lui expliquer, à présent, qu'il me sera difficile de l'emmener à Mayoworth. Comme je l'ai dit à Marcus, elle n'est pas bâtie pour vivre en un pareil endroit. Dès lors, en renonçant à Rosemary, il me faut, également, renoncer à gagner ma vie en élevant des chevaux. Serai-je contraint de revenir à la C.I.A. ? Si encore mon oncle m'y garantissait que je ne bougerais pas de mon bureau... Il pourrait, certainement, trouver un emploi pour Oona. En vérité, une seule chose importe : qu'Oona et moi ne soyons pas séparés. Oh ! et puis, à chaque jour suffit sa peine. On étudiera la question ensemble, plus tard.

Ai-je jamais été aussi heureux que sur la route nous ramenant à Leenan ? J'ai le monde entier dans le cœur et j'aime le monde entier. Je chante en conduisant et, par moments, Oona m'embrasse la joue, une caresse plus qu'un baiser. Une joie folle me possède tout entier. Mon vieux fond irlandais submerge ma raison anglo-saxonne et je suis sûr que les dieux veillant sur l'Irlande m'ont attiré à Leenan où ils savaient qu'Oona m'attendait.

Chère Rosemary,

Je crains que vous ne m'en vouliez beaucoup, surtout après l'affectueuse façon dont nous nous sommes quittés. Je me doute que vous jugerez ma conduite inqualifiable et que mes parents raisonneront comme vous. C'est pourquoi j'ai tant tardé à vous écrire, cherchant vainement les mots qui vous blesseraient le moins. Je ne pense pas, malheureusement, y être parvenu...

J'en suis à la sixième version de cette lettre de rupture. J'ai honte et le remords me bouleverse assez l'esprit pour que je ne trouve plus les phrases que je me répétais depuis l'avant-veille, depuis qu'Oona et moi avons échangé notre premier baiser, au retour de Galway. Comment m'y prendre pour que Rosemary comprenne sans que j'aie besoin d'entrer dans des détails délicats ? Oona dort au fond du couloir et Marcus se repose dans sa chambre située entre les deux nôtres. Ils ne soupçonnent pas la dure bataille que je mène contre moi-même. Je ne peux en parler à personne car personne ne me comprendrait ; pour les cyniques, j'aurais tort de me créer un sentiment de culpabilité à cause d'une rupture ni plus ni moins grave que celles se produisant par milliers, chaque jour ; pour les purs, je serais le type parfait du salaud. Je soupire et me remets à la tâche.

Ce dont je souhaiterais vous persuader, chère Rosemary, c'est qu'en partant de Mayoworth, j'étais sincère. Je croyais, de toute mon âme, que nous pourrions bâtir notre vie ensemble, mais en Irlande, j'ai rencontré Oona...

Là, j'hésite. Dois-je écrire la profondeur de mon attachement pour ma chère Irlandaise, franchise qui risque de blesser cruellement Rosemary ? Dois-je passer très vite sur le portrait de ma fiancée, mais alors, mon manque d'enthousiasme ne risque-t-il pas de plonger l'abandonnée dans un désarroi total et de l'obliger à se demander — à cause de ma discrétion — ce qui a pu, dans Oona, me détacher d'elle ? Oh ! et puis, il n'y a qu'à prendre le taureau par les cornes, sinon je ne m'en sortirai jamais !

... Que vous expliquer ? C'est une jeune fille que la vie a durement maltraitée. Seule au monde, elle ressemble à un de ces oiseaux marins englués dans le mazout et qui se laissent mourir sans comprendre pourquoi ils meurent. Oona a besoin qu'on la protège, elle n'a pas votre force. Nous nous marierons à Dublin dans les jours qui viennent. Essayez de me pardonner, Rosemary. Je ne retournerai pas à Mayoworth. Puis-je vous demander de mettre mes parents au courant ? Je suis assez lâche pour n'avoir pas le courage de le faire. Je n'ose pas vous embrasser et pourtant, j'en ai sérieusement envie. Pardon. Pat.

Un sacré pensum dont, après tout, je ne me sors pas si mal que cela.

Rasé, douché, je descends pour le breakfast. Marcus ouvre sa porte à l'instant où je referme la mienne. Ensemble, en faisant le moins de bruit possible, nous descendons l'escalier de bois dont les

97

marches craquent. A table, je refuse les œufs et le bacon pour me contenter d'une tasse de thé.

— Ça ne va pas, Pat ?

— Je me sens un peu barbouillé.

— Ah ?

— J'ai écrit à Rosemary pour rompre.

— Et vous n'êtes pas très fier de vous ?

— Exact.

— Je vous comprends.

Il m'exaspère avec ses sous-entendus où je crois deviner un blâme. Rogue, je m'exclame :

— Je ne peux pas les épouser toutes les deux !

— Vous vous attireriez de gros ennuis.

— J'aime Oona et elle m'aime.

— Je m'en doute.

— Vous avez l'air de me critiquer ?

— Je ne vois pas de quel droit je me mêlerais de cette histoire. A Londres, vous m'avez parlé en termes si élogieux de cette Rosemary que mon amitié se demande si vous n'êtes pas en train de lâcher la proie pour l'ombre.

— J'estime être le seul à pouvoir en juger.

— Ne vous fâchez pas. C'est vous et non moi qui avez mis le sujet sur le tapis. Admettons que je tentais un baroud d'honneur en faveur de Rosemary pour qui j'ai de l'affection, au moins de la sympathie à travers ce que vous, vous m'en avez conté.

— Vous avez raison, Marcus. Je grogne après le monde entier parce que je ne suis pas très fier de moi. Un problème que je ne saurais résoudre sans blesser l'une ou l'autre. Je suis sûr que Rosemary est plus apte à surmonter son chagrin qu'Oona. N'est-ce pas votre avis ?

— Oh ! moi, je ne suis absolument pas attiré par le mariage tant je redoute les femmes et leurs sortilèges. La preuve que je ne vous tiens pas rigueur de votre nervosité de tout à l'heure, donnez-moi votre lettre, je la mettrai demain soir à Dublin. Elle prendra le premier vol pour New York.

— Vous allez à Dublin ?

— La nuit prochaine et le jour suivant pour deux raisons : primo, j'ai envie d'effectuer une visite sérieuse des plus fameux pubs de la ville, secundo parce que je ne veux pas troubler vos amours naissantes.

— Vous ne nous gênez pas !

— Laissez-moi agir comme je l'entends, Pat, et sous quarante-huit heures, vous serez débarrassé de Rosemary et de vos remords.

— Ça, c'est moins sûr...

Oona met fin à la discussion en venant à nous, fraîche et reposée. Sa seule présence me trouble et m'enchante. Sans la moindre hésitation, je remets ma lettre à Lodge.

Dans l'après-midi, ayant bu notre thé, nous grimpons dans ma voiture et nous mettons en route pour Galway. Il pleut. Une pluie légère qui ne dissipe pas les brouillards descendant lentement vers nous. Le temps ajoute à la mélancolie du paysage et nous apporte le vrai visage de l'Irlande. Lodge n'a pas l'air tellement emballé. Je le comprends, si on n'a pas de sang irlandais dans les veines, on ne peut que juger rébarbatif ce décor où le ciel et la mer se confondent tandis que la pluie tend d'immatériels rideaux entre nous et le décor qui défile des deux côtés de notre chemin.

Les conditions atmosphériques se sont améliorées quand nous entrons dans Galway. Brendan Ardagh m'a indiqué un petit restaurant dans la vieille ville où j'ai retenu trois places. Nous sommes accueillis par la patronne, Mrs Glenshane, forte femme, mamelue, un peu moustachue et qui semble être d'une vigueur peu commune.

— C'est Brendan qui vous a indiqué ma maison ?

— Oui.

— Comment se porte-t-il ce sacré fainéant ?

— Tout à l'heure, quand nous l'avons quitté, il allait bien.

— Je vous offre un petit whisky ?

— Avec plaisir.

Nous trinquons à l'Irlande, aux Irlandais et à Brendan. Notre hôtesse soupire :

— Je l'aime bien, Brendan Ardagh.

— Vous le connaissez depuis longtemps ?

— Nous avons eu vingt ans ensemble... Je suis de Leenan, moi aussi et je n'ai quitté mon village que pour suivre mon mari qui était, déjà, installé à Galway. Il est mort, il y a trois ans. J'aurais dû épouser Brendan...

Si l'époux disparu peut entendre sa veuve, il ne doit pas être content, content... Le sourire que m'adresse Marcus me rappelle que dans le regret de notre hôtesse, il trouve une confirmation supplémentaire de la justesse de son opinion concernant le mariage. Personnellement, je commence à m'inquiéter pour notre dîner car l'alcool a renvoyé Mrs Glenshane à sa jeunesse. Dans l'espoir d'en finir, je demande :

— Pourquoi ne l'avez-vous pas fait ?

— Parce que je ne savais pas me battre à cette époque et Brendan en aimait une autre, Molly Croagh. Il s'est marié un an avant moi. Vous savez, en ce temps-là, j'étais aussi jolie que Molly. Les hommes sont idiots. Alors, quand j'ai eu perdu la partie, je me suis consolée avec le whisky et le travail. Vous pouvez voir ce que je suis devenue.

— Et Molly ?

— On l'a enterrée, il y a six ans. Depuis, il paraît que Brendan, on ignore s'il est mort ou vivant. On raconte qu'il vit seul, qu'il ne fréquente personne. Tant pis pour lui, il avait qu'à ne pas me préférer cette rouquine. Elle lui a fait suer les sept misères... Pourriez-vous m'expliquer pourquoi je vous raconte des histoires qui ne vous regardent pas ?

— Peut-être parce que nous vous sommes sympathiques ? et que vous avez deviné que nous éprouvions la même sympathie pour Brendan Ardagh ?

Elle se lève pesamment en prenant appui sur la table de ses deux poings :

— Ça doit être ça... (Elle pousse une sorte de hennissement.) Ainsi, nous aurons été malheureux tous les deux. C'est la vie et c'est lamentable... et qu'est-ce que vous voulez manger ?

Je laisse la parole à Marcus qui dresse les plans d'un repas de qualité où le homard occupera la première place. Je profite de ce que Mrs Glenshane gagne sa cuisine pour prendre, dans la mienne, la main d'Oona.

— Harry... Oona et moi, nous nous sommes fiancés. Vous êtes le premier à le savoir.

Marcus sourit.

— Suis-je censé être surpris ? Je suis sûr que Mr Ardagh l'a su avant même que vous en ayez décidé ! Il n'y a qu'à vous regarder pour comprendre que vous ne vivez déjà plus avec le commun des mortels. Je vous présente tous mes vœux de bonheur.

Il m'attrape par les épaules, me secoue un peu.

— Pat... Vous méritez d'être heureux... car bien qu'en bon Irlandais, vous soyez un peu lunatique et trop souvent privé de jugeote, vous êtes un brave type et je ne vois pas quel plus beau compliment je pourrais vous adresser. Pour vous, miss Donoghue...

A mon tour, je flanque une bonne tape dans le dos de Marcus.

— Pouvez l'appeler Oona, n'est-ce pas, chérie ?

— Evidemment...

— Alors, Oona, je vous trouve rudement courageuse d'épouser un Irlandais ! à moins que vous n'aimiez les coups !

— Quelle horreur !

— Rassurez-vous, je plaisantais, pas très finement, je l'avoue. En vérité, connaissant Pat comme je crois le connaître, je pense que vous le mènerez par le bout du nez.

Je proteste :

— Eh ! doucement...

— Vous le mènerez par le bout du nez, Oona, car j'estime qu'il est incapable de se conduire tout seul. Maintenant, pour prix de ces avertissements, puis-je réclamer un baiser ?

Je trouve que le baiser de Marcus se prolonge au-delà des limites permises. Ce coureur de jupons aurait-il des vues sur Oona ? Ma jalousie s'allume d'autant plus vite qu'Oona me donne l'impression de ne pas trouver cela désagréable. Heureusement, Mrs Glenshane apparaît, portant une sorte de soupière et annonçant :

— Voilà les homards...

Regardant Marcus et Oona, elle s'exclame :

— Tiens ! tiens ! Y aurait-il du mariage dans l'air ?

Je réagis sèchement :

— Vous avez deviné, mais le fiancé, c'est moi !

— Ah ? J'aurais pas cru... Il est vrai que maintenant, on a l'esprit large.

Je bous et ne peux me tenir de remarquer :

— La prochaine fois, Harry, modérez vos transports !

Oona doit sentir que les choses vont se gâter.

— Voyons, Pat, ne soyez pas jaloux, ce serait grotesque ! Donnez-moi plutôt du homard.

La gentillesse de ma fiancée dissipe l'atmosphère et, vers la fin du repas, nous sommes tous de bonne humeur. Marcus annonce brusquement :

— Aujourd'hui, pendant que Pat vous faisait la cour, je me suis rendu en taxi à Westport où, flânant à travers les rues, j'ai découvert chez un brocanteur un objet qu'avec la permission de Mr Mulcahy, je voudrais vous offrir en souvenir de ce beau jour.

Oona répond que c'est trop gentil. Quant à moi, je déclare à Marcus :

— D'accord, à condition que ce ne soit ni du poison, ni un poignard, ni un lacet étrangleur, ni une arme à feu, toutes invitations à se débarrasser d'un mari gênant !

— Oh ! Pat, comment pouvez-vous dire des choses aussi horribles ? proteste Oona.

Lodge hausse les épaules :

— C'est son humour irlandais, il faudra vous y habituer, ma chère. Rassurez-vous, Pat, c'est un petit nécessaire en argent du XVIIIe siècle qui a, sans doute, appartenu à la femme d'un armateur.

Sur ce, il sort de sa poche le nécessaire, soigneusement enveloppé dans du papier de soie. Avant de le remettre à Oona, il le frotte vigoureusement pour le faire briller. Je me penche sur l'épaule de ma fiancée.

— C'est, en effet, très joli.

— Vous êtes gentil, Mr Dobson...

— Avez-vous remarqué cet emplacement, entouré de feuilles d'acanthe ? A mon idée, il est destiné à recevoir les initiales de sa propriétaire.

Il reprend délicatement la pièce d'orfèvrerie, l'enveloppe à nouveau dans ses papiers de soie, tout en annonçant :

— J'y ferai graver un O et un M enlacés. Je vous le remettrai le jour du mariage — auquel j'espère bien être invité.

— Vous serez mon garçon d'honneur, si vous en acceptez la charge.

— Et comment !

Ainsi qu'il se doit, avant de nous séparer — Marcus se rendant à Dublin — nous terminons notre dîner par un « irish coffee » qui va nous donner la force, à Oona et à moi, de rentrer à Leenan.

La nuit est douce et le ciel étoilé. Le vent s'est apaisé. Je surveille la route de crainte de heurter un mouton, une vache ou un poney qui aurait élu domicile au milieu du chemin. Au carrefour de Maam Cross, nous sommes en plein désert, et il ne faut pas s'imposer un gros effort d'imagination pour se croire seuls au bout du monde. J'arrête la voiture :

— D'accord pour faire quelques pas dans ce beau silence, chérie ?

— Bonne idée !

Main dans la main, nous marchons à travers la lande où passent les ombres furtives de bêtes au pacage. Oona soupire :

— Retrouverons-nous jamais une nuit pareille, Pat ?

— Il ne tient qu'à nous.

Elle secoue la tête et murmure :

— Si c'était si facile...

Nous marchons une minute ou deux sans parler puis, je demande :

— Vous n'avez rien à me confier que vous ne m'auriez dit ?

— Mais non ! quelle idée !

— Le ton de votre voix, amer, presque désabusé...

Elle glisse son bras sous le mien.

— Allons, Pat... ne soyez pas trop irlandais !

Je ne sais pourquoi je trouve que ses propos manquent de conviction. Elle enchaîne, comme pour essayer de me convaincre :

— Les promenades nocturnes semblent ne pas vous réussir !

Tout cela est un peu forcé et m'inquiète. Pourquoi s'obstine-t-elle ?

— Vous finirez par apercevoir des farfadets !

Au même instant, une silhouette épaisse sort d'entre deux rochers et vient vers nous. Oona pousse un cri de frayeur et se jette contre moi. Etonné de cette rencontre, le poney pousse un hennissement désapprobateur et s'éloigne. A mon tour de remarquer :

— Qui donc a peur des créatures de la nuit venant tourmenter ceux qui n'ont pas la conscience tranquille ?

— Oh ! taisez-vous !

Il y a une telle agressivité dans sa voix que j'en demeure coi.

— Pardonnez-moi, Pat... J'ai, sans doute, un peu bu... Rentrons, s'il vous plaît.

Une vingtaine de miles nous séparent de Leenan. Nous les couvrons en trois quarts d'heure, sans échanger un mot. Brendan m'a confié la clef de l'hôtel si bien que nous y pénétrons sans réveiller personne. Devant la porte de sa chambre, Oona se retourne vers moi.

— Ne me tenez pas rigueur de ma mauvaise humeur, Pat. Ce soir, je ne sais pas ce que j'ai. Demain, tout ira mieux.

Je n'en suis pas certain. Elle m'embrasse.

— Bonne nuit, chéri.

— Bonne nuit, chérie.

A mon tour, je pénètre dans ma chambre. Je me couche, mais le sommeil ne vient pas. Je me promettais tant de cette journée et voilà comment elle s'achève...

Le lendemain matin, je me lève d'humeur grognonne. Je descends à la salle à manger et cela me semble tout drôle de ne pas y retrouver Marcus. Je déjeune en solitaire, sans grand appétit. Mon breakfast expédié, je décide de retourner dans la baie de Killary, en espérant que l'air marin dissipera mes idées noires. Je ne peux cependant m'empêcher de jurer en constatant qu'un homme a pris place dans l'anfractuosité du rocher où Oona et moi, nous nous étions fiancés.

Je m'approche de l'importun et je reconnais Brendan.

— Vous, Ardagh ?

Il lève la tête et, jamais comme en ce moment, je ne m'étais rendu compte à quel point il a le regard triste.

— Tiens ! Mr Mulcahy ! Que venez-vous chercher dans ce coin ?

— Vraisemblablement, ce que vous y êtes venu chercher.

— Ça m'étonnerait !

— Et pourquoi ?

— Je pense à une morte !

— A Molly ?... Excusez-moi...

— Aucune importance... C'est Mrs Glenshane, n'est-ce pas ?

Je confirme d'un signe de tête.

— Pauvre Edith... Il y a bien longtemps que je ne l'ai vue... Paraît qu'elle boit et qu'elle ressemble plus à rien ?

— Ma foi...

— Il ne faut pas la mal juger, Mr Mulcahy. C'est une malheureuse et savez-vous qui a été la cause de son malheur ? Moi, Mr Mulcahy, moi et seulement moi.

Il paraît s'enfoncer dans ses pensées, rejoindre un monde où je ne peux le suivre parce que c'est le monde de sa jeunesse.

— J'ignore ce qui m'arrive... Peut-être est-ce de vous avoir vu si tendrement préoccupé de miss Donoghue ?... Edith aussi était une jolie fille, grande, solidement bâtie, la plus belle du Connemara. A cette époque, je n'étais pas mal de ma personne... Dans les courses, j'étais imbattable. Les filles me tournaient autour et ma défunte mère, quoique bonne catholique, savourait avec orgueil le jeu de ces poulettes cherchant à attirer l'attention du jeune coq. Mais elles perdaient leur temps. Pour moi, il n'y en avait qu'une qui comptait : Edith... En avons-nous bâti des projets, elle et moi... Peu à peu, on se désintéressa de nous, tant il était certain qu'Edith et moi, nous formerions le couple idéal dont Leenan serait fier. On fit une sacrée fête pour nos fiançailles. Certains — comme le vieux Tinahely, mort il y a à peine trois ans — ne dessoûlèrent pas de huit jours ! Je me sentais le garçon le plus heureux du monde...

Il sort une flasque de whisky de sa poche-revolver

et me le tend. Je refuse. Il est trop tôt — même quand on a un estomac irlandais — pour boire de l'alcool. Brendan semble se moquer complètement de l'heure. Il porte le goulot à sa bouche et avale une bonne rasade. Sous la brûlure, ses yeux se mouillent et il repart dans ses souvenirs.

— Seulement, je vous le disais, nous, les Irlandais, nous avons le goût du malheur... Nous étions fiancés, Edith et moi, depuis un mois et nous en étions aux préparatifs de la noce, lorsqu'un dimanche, à l'église, on a vu arriver une fille sensationnelle. Plutôt petite, blonde, apparemment faite au moule et dont la seule vue mettait du feu dans les veines des garçons. C'était la nièce du maréchal-ferrant de Bundorragh, un patelin à quelques miles d'ici. On sut très vite qu'elle s'appelait Molly Kilmissan et qu'elle arrivait de l'Ulster. Elle m'a envoûté, la garce, comme elle envoûtait les autres. Je me suis battu. On m'a fiché en tôle. Ma mère m'a supplié de me reprendre et Edith, la pauvre... mais personne n'y pouvait rien, j'étais devenu une sorte de bête prête à toutes les batailles pour conquérir la femelle de son choix. J'ai gagné et j'ai épousé Molly.

— Et en dépit de tout et de tous, vous avez été heureux ?

Brendan ricane et vide son flacon de whisky.

— Heureux ? A peine avions-nous quitté la sacristie que mon enfer a commencé, un enfer qui allait durer vingt-sept ans... Vous entendez, Mr Mulcahy, vingt-sept ans ! Chez nous, le divorce n'est pas admis. J'aurais pu m'enfuir, mais je ne peux vivre en dehors de Leenan. Il ne me restait que deux solutions : tuer ma femme et finir mes jours en prison ou accepter. J'ai accepté et je suis devenu la risée du pays.

— Mon pauvre ami...

— Non, Mr Mulcahy, ce n'est pas moi qu'il faut plaindre. Je n'ai eu que ce que je méritais. Mais Edith, la malheureuse... Elle a voulu fuir le pays et elle a épousé le premier qui s'est présenté et qui n'habitait pas Leenan. Elle a, comme beaucoup, demandé l'oubli à l'alcool. Vous avez vu... Je l'ai assassinée, Mr Mulcahy, assassinée...

Pendant que nous déjeunons, Oona me demande pourquoi j'ai l'air si préoccupé. Je lui réponds que c'est une illusion. Je ne peux lui confier qu'après avoir entendu la confession de Brendan j'ai peur pour Rosemary.

J'ai eu, de nouveau, un sommeil pénible où, sans cesse, revenait le même cauchemar : à Galway, nous déjeunions, Oona et moi, chez Mrs Glenshane qui, sur son corps déformé, avait la tête de Rosemary dont le visage était marqué par les stigmates de l'alcoolisme. Elle s'approchait de notre table et elle expliquait à Oona qu'autrefois, elle était aussi jolie qu'elle ; elle était devenue une espèce de monstre par la faute d'un homme qui lui avait menti et elle me désignait de la pointe de son couteau à découper, tout en demandant :

— Si je la tue, vous m'aimerez encore ?

Avant que je n'aie répondu ou seulement esquissé un geste, Rosemary tirait Oona en arrière par les cheveux et, sur la gorge dégagée, elle posait le tranchant de son coutelas. Avec l'illogisme du rêve, Oona devenait un de ces chevreaux dont Folship voulait m'obliger à détailler les carcasses. Ma protestation indignée me réveille.

En gagnant la salle à manger, je n'ai pas bonne mine. Oona s'en aperçoit :

— Qu'y a-t-il, Pat ? Depuis que nous sommes rentrés de Galway, il me semble que quelque chose vous préoccupe. Qu'est-ce que c'est ?

— Votre attitude si limpide, si claire jusqu'à présent, s'est légèrement modifiée. Pour quelles raisons ?

— Si je comprenais à quoi vous faites allusion, je pourrais peut-être vous répondre !

— Bon, vous souhaitez que je mette les points sur les i ?

— Je vous en serais reconnaissante.

— D'abord, dites-moi si vous connaissiez Harry Dobson avant son arrivée ?

— Harry ? non seulement, je ne le connaissais pas, mais je ne l'avais jamais vu ! D'ailleurs, je vous rappelle qu'il habite à Manchester, où il travaille, tandis que mes occupations sont à Londres.

— Dans ce cas, comment se fait-il que vous l'ayez embrassé avec une sorte de passion ?

Elle rit, apitoyée.

— Ainsi, mon pauvre Pat, c'est ça ? la jalousie ?

— Oh ! je vous en prie, ne riez pas !

— Je ne vais quand même pas pleurer !

— J'en ai, certes, plus envie que vous.

Elle s'arrête de manger, me regarde.

— Vous parlez sérieusement ?

— Très sérieusement.

— Alors, c'est grave... Je me figurais que vous éprouviez une affection fraternelle pour Harry ?

— Sans doute, mais pas au point de lui faire partager mes amours !

— Pat, vous prenez conscience de vos paroles ?

— Plus très bien, j'en ai peur.

— Alors, taisez-vous, pour moi et pour vous... Vous êtes parti pour prononcer des mots que vous regretteriez. Si vous vous montrez aussi stupidement jaloux avant le mariage, que sera-ce après ?

Je grogne :

— Harry ne sera plus là...

— Mais c'est trop stupide, à la fin ! s'emporte-t-elle. Je n'ai rien à en faire de votre Harry ! Si vous me jugez capable de me jeter à la tête du premier venu, autant en rester là ! Peut-être ne vous a-t-on jamais appris que la condition première pour qu'un mariage soit réussi, c'est la confiance ?

Je baisse pavillon.

— Vous avez raison, ma chérie... Je tiens tellement à vous que je tremble à chaque fois qu'un autre vous approche.

— Vous êtes un grand sot, Pat... Vous mériteriez que je raconte cette histoire à Harry, pour vous faire honte !

Il est exact que je me sens un peu honteux, mais je lui en veux de sa remarque. Je traverse une mauvaise passe. J'ai encore assez de jugeote pour m'en apercevoir.

— Décidément, ça ne va pas, ce matin... Je crois que je ferais mieux de monter me reposer.

— Je le pense aussi et j'espère que vous aurez retrouvé tout votre bon sens pour le lunch.

Je la quitte, l'œil mauvais, la bouche amère. Elle n'a pas esquissé un geste pour me retenir. On dirait que mon absence la soulage. Allongé sur mon lit qu'on vient juste de refaire, je plonge dans mes idées noires et y barbote avec une sorte de plaisir sadique. Cela commence par Rosemary que j'imagine, recevant ma lettre de rupture et la lisant. S'effondre-t-elle, en larmes ? Ne se reprend-elle que pour courir chez mes parents et pleurer avec eux ? A cette perspective, j'ai la gorge serrée. Mes paupières se mouillent en songeant au chagrin de ma mère obligée de renoncer à un mariage qu'elle appelait de tous ses vœux, au chagrin de Rosemary qui aura si longtemps attendu pour rien. J'ai moins de souci pour mon père. Pour lui, ce qu'il nomme des tracas ne compte guère par rapport à la santé de ses chevaux. Il se consolera vite.

En vérité, je dois m'avouer que toutes ces peines complaisamment évoquées par mon esprit malade ne me donneraient pas de bien lourds remords si j'étais certain des sentiments d'Oona à mon égard, car je l'aime, mon Irlandaise... Je ne peux plus admettre de vivre sans elle. Jamais je n'aurais cru possible qu'un jour, je serais pincé à ce point-là... Je passe mentalement en revue toutes celles — du moins celles dont je me souviens — qui ont, pendant un laps de temps plus ou moins bref, servi de support à mes projets matrimoniaux. Les unes après les autres, elles sont parties ou je les ai priées de s'en aller sans que je ressente rien de plus qu'une passagère mélancolie vite dissipée par un verre de bourbon. Avec Oona, j'ai su, dès le premier instant, que ce serait autre chose.

J'essaie de fermer les yeux pour tenter de dormir un peu afin de me calmer, mais à peine ai-je baissé les paupières que je vois ma mère debout au pied de mon lit. L'impossibilité de l'événement ne me touche pas. Sans doute — comme jadis, lors de mes petits drames enfantins — je recherche confusément la présence maternelle. Qu'elle ait répondu à mon appel ne me surprend pas. Peut-être suis-je déjà en train de dormir et de rêver. Maman et moi entamons une conversation intemporelle.

— Vous ne voulez décidément pas de Rosemary, Patrick ?

— Non, mummy. J'aime ailleurs.

— Je sais. Pourquoi ne m'en avez-vous pas parlé ?

— Je l'ignore...

— Vous mentez, mon garçon. Vous ne m'avez rien dit au sujet de cette Oona parce que vous saviez que vous porteriez un coup cruel à Rosemary, qui ne le méritait pas.

— C'est vrai...

— Vous êtes curieux, les hommes... Il suffit qu'un jupon passe près de vous pour que vous trahissiez vos engagements ! Patrick, parce que je suis votre mère, j'aurai la faiblesse d'inventer des excuses pour consoler Rosemary, mais je ne pourrai pas vous pardonner votre choix.

— Mais, Oona...

— Vous ne savez pratiquement rien d'elle. Vous ne connaissez même pas son âge. Et si vous vous étiez emballé pour rien ? Si cette fille n'était qu'une allumeuse ?

— Mummy !

— Regardez la façon dont elle se conduit avec votre ami anglais !

Fruit de mon imagination, le fantôme de ma mère prononçait les mots que je n'osais pas prononcer.

En dépit de mes efforts et des efforts d'Oona, l'atmosphère — durant notre lunch — ne ressemble plus à celle de nos tête-à-tête depuis que nous avions fait connaissance. Bien entendu, nous refusons de l'admettre. Nous nous évertuons à trouver des plaisanteries qui, le plus souvent, tombent à plat. Intérieurement, j'enrage car je suis parfaitement conscient que tout ce qui arrive est de ma faute.

Nous mangeons dans un climat apparemment euphorique, chacun s'efforçant de faire oublier à son partenaire ce qui, un moment, a terni leurs rapports. Toutefois, le fait même de vouloir nous prouver que nous ne pensons plus à notre différend nous ôte toute spontanéité et nous ramène sans cesse à ce que nous entendons écarter. C'est avec un soulagement partagé que nous dégustons la compote de fruits servie en dessert.

— Nous irons nous promener, après votre sieste ?

— En avez-vous vraiment envie, Pat ?

— Quelle question !

Elle comprend que je suis sincère et un beau sourire confiant éclaire son visage subitement rajeuni.

J'avais raison de compter sur le charme étrange et discret du Connemara pour dissiper les inquiétudes qui nous tourmentaient, Oona et moi. Nous n'avions pas pris la voiture et étions partis d'un bon pas sur la route des Maumturks. Une brume légère nivelait les contours des rochers, les sommets des arbres disparaissaient à nos yeux. Une étonnante impression de solitude. Je pris la main d'Oona dans la mienne.

— Vous ne trouvez pas qu'on a le sentiment d'être seuls sur une planète désertée ?

— Malheureusement, ce n'est qu'une illusion.

— J'imagine que l'homme et la femme qui formeront l'unique couple rescapé d'une guerre nucléaire éprouveront — mais pour beaucoup plus longtemps — ce que nous ressentons en ce moment.

— Et ils ne seront pas obligés, comme nous, de revenir parmi les hommes.

— Plutôt misanthrope, hé ?

— Plutôt, oui. Jusqu'ici et jusqu'à ce que je vous

rencontre, je ne les ai vus qu'à travers leur suffisance, leur égoïsme, leurs sales désirs.

— J'espère que, le cas échéant, vous préférerez les chevaux ?

— Sans aucun doute !

Ayant retrouvé notre joie d'être ensemble, nous abandonnons la route et grimpons sur le flanc herbeux et rocailleux des Griggins. Nous avançons à travers une ouate que le souffle à peine sensible du vent dissipe à la façon d'un rideau qui se lève et nous offre un merveilleux décor avant de retomber presque aussitôt. Nous devons prêter une rigoureuse attention à l'endroit où nous posons les pieds, pour ne pas buter dans les rochers. De temps à autre, à travers le silence, on perçoit la lourde respiration d'une vache ou d'un cheval tandis que parfois — sans qu'on en puisse préciser la direction — éclate le bêlement plaintif d'un agneau en quête de sa mère.

Nous marchons depuis une demi-heure et sommes quelque peu essoufflés lorsque, d'un coup, le brouillard se dissipe et nous ne pouvons retenir un cri d'admiration devant le spectacle s'étalant devant nous. Nous dominons un paysage tourmenté, plein d'une sauvage grandeur. Au loin, la mer, d'où émergent les îles Inishturk et Inishbofin. Poussé par je ne sais quelle impulsion, je passe mon bras autour des épaules de ma compagne.

— Oona, je vous aime...

— Moi aussi, Pat.

Nous nous étreignons. Dans ce désert, je me figure être Adam rencontrant Eve qu'il n'avait jamais vue. Toujours l'imagination irlandaise...

— Chérie, vous pensez, n'est-ce pas, que nous serons heureux ?

— Je ne sais pas.

— Mais, ne venez-vous pas de me confier que vous m'aimez ?

— Si... mais la vie n'est pas un conte de fées...

— Cela signifie quoi, cette remarque ?

Elle se met à pleurer doucement et ces larmes qui coulent sur le visage chéri me bouleversent. Elle chuchote :

— Qu'il y a des rencontres qui se produisent trop tard.

— Pourquoi ! pourquoi ?

— Parce que je vous le répète, mon pauvre Pat, tout ne s'arrange pas toujours comme on le voudrait.

A la manière de ceux qui ne comprennent pas et s'irritent de ne pas comprendre, je me mets en colère. J'attrape Oona par les poignets et la secoue un brin :

— Oui ou non, m'aimez-vous ?

— Oui.

— Voulez-vous m'épouser ?

— Je ne sais plus...

Je me mets à jurer de très vilaine façon.

— Enfin, qu'est-ce qui s'est passé depuis la dernière fois ? Peut-être ne vous souvenez-vous plus que vous étiez d'accord pour qu'ensemble, nous fondions un foyer ?

— J'ai réfléchi, depuis...

— Ce qui veut dire ?

— Que, sous le coup de l'émotion et sans aller au-delà du moment présent, je n'ai laissé parler que mon cœur.

— Qui donc devrait aussi donner son avis ?

— Ma raison, Pat. Vous ignorez à peu près tout de moi et moi de vous. Croyez-vous qu'il soit sage d'agir de la sorte ?

— Que proposez-vous ?

— De nous permettre d'envisager l'avenir dans le calme, dans la solitude. Je ne suis plus une petite fille, vous n'êtes plus un jeune homme. Si nous décidons de nous marier, ce sera pour aller jusqu'au bout de la route que nous aurons choisie. Nous n'avons plus le loisir de nous tromper. Il faut que, dès cet instant, nous témoignions d'une confiance mutuelle. Je vais rentrer à Londres, reprendre mon travail. Vous, vous allez retourner aux Etats-Unis et, dans un mois, je vous écrirai pour vous annoncer mon arrivée ou vous avouer que notre union n'est pas possible. Il est entendu que, de votre côté, vous serez libre de renoncer ou non à nos projets.

Que puis-je faire d'autre que m'incliner ? Sans compter que je sens qu'elle a raison et que je lui ai menti depuis le début de notre rencontre, quant à ma profession, comme je lui ai menti au sujet de Marcus.

— Ce mois me paraîtra interminable, Oona.

— L'impatience s'use quand l'espoir lui tient compagnie.

Pour me consoler, miss Donoghue m'embrasse longuement avant que nous ne repartions dans la descente, vers Leenan.

Notre retour est empreint d'une certaine mélancolie qui apparaît d'autant plus lourde qu'elle contraste avec notre allégresse des heures précédentes. Nous n'éprouvons pas le besoin de parler et nous nous contentons de nous tenir par la main.

Sur le seuil de l'hôtel, Marcus nous attend. Du plus loin qu'il nous voit, il agite les bras. Oona s'écrie :

— Harry est de retour !

Elle lâche ma main et m'oblige à hâter le pas. Je ne peux m'empêcher de souligner :

— Votre humeur change aussitôt que Dobson...

Elle s'arrête et s'écrie, excédée :

— Oh ! vous n'allez pas recommencer !

— Rassurez-vous, je crois que ce serait inutile.

Si Oona accueille Marcus — Harry, pour elle — avec empressement, il témoigne du même plaisir. Pour moi, je suis froid comme un iceberg. Personne ne semble s'en soucier.

Pendant tout le dîner, Lodge ne cesse de parler. Il nous décrit Dublin et surtout la collection de pubs qu'il a cru de son devoir de visiter. Au bout d'un instant, je ne l'écoute plus, trop occupé à épier le visage d'Oona sans arriver à décider si elle feint l'intérêt ou si elle est vraiment passionnée par le récit de notre ami commun. Oh ! et puis, j'en ai assez ! Si l'Irlandaise se plaît mieux en la compagnie de l'Anglais qu'avec moi, à quoi bon m'imposer ? Je me lève et, prétextant un malaise, je prends congé. Il me semble que les yeux d'Oona se mouillent de larmes. Si seulement je parvenais à deviner ce qu'elle pense réellement... Alors que je lui souhaite une bonne nuit, Marcus m'annonce :

— J'ai mis votre lettre à la poste... Elle sera à destination demain ou après-demain.

Ce n'est pas la peine de me rappeler Rosemary en cet instant !

Les laissant bavarder, je monte dans ma chambre. Si j'étais chez moi, je casserais quelque chose, mais j'ai l'atavique respect de la propriété d'autrui. Quel jeu joue Oona ? Se moque-t-elle de moi ? Ou est-ce moi qui interprète mal chacun de ses gestes, chacune de ses paroles ? Cependant, je tiens profondément à elle. Quel besoin ai-je de me torturer ? Je me conduis comme un imbécile que ravagent les affres d'une stupide jalousie ! Et Marcus, qui, pour arranger le tout, m'apprend qu'il n'a pas omis de poster ma lettre à Rosemary ! Quelle stupide idée ai-je eue de brûler mes vaisseaux avant d'avoir fixé la date de notre mariage ! Qu'est-ce qu'ils peuvent bien se raconter, en bas, Oona et lui ?

Je me couche, hargneux, mais une fois au lit, mes nerfs se calment, mon sang s'apaise et, dès lors, le bon sens montre le bout de son nez. L'attitude d'Oona est compréhensible, normale. Nous nous connaissons depuis peu et elle a déjà trop souffert de la vie pour s'embarquer, sur un coup de tête, dans cette sacrée aventure qu'est le mariage. De nous deux, elle est la plus sage. Elle veut être sûre de ses sentiments avant de me dire le « oui » qui, parce qu'elle est irlandaise, l'engagera pour la vie. Pour être convaincu qu'elle a raison, je n'ai qu'à évoquer la manière dont je me conduis avec Rosemary. Pourtant, j'étais sincère à Mayoworth... J'aurais été mieux inspiré en proposant à Rosemary l'épreuve qu'Oona veut nous imposer.

Des coups frappés à la porte m'arrachent au sommeil sans rêves où j'étais enseveli. D'une voix pâteuse, j'interroge :

— Qu'est-ce que c'est ?

— C'est moi, Ardagh.

— Entrez... Ce n'est pas fermé.

Le patron pénètre dans ma chambre.

— Que se passe-t-il, Mr Ardagh ?

— Rien... Simplement, j'étais inquiet de ne pas vous avoir encore vu... Savez-vous qu'il est presque onze heures ?

— J'ai très mal dormi...

— Malade ?

— Non, soucis.

— Je m'en doutais.

— Vraiment ?

— Vraiment. Vous m'êtes très sympathique, Mr Mulcahy. Excusez-moi, je vous le dis comme je le pense.

— Il est toujours agréable d'apprendre que l'on est sympathique à quelqu'un. J'imagine que mes amis sont partis se promener ?

— En effet.

Ma voix coince un peu quand je demande :

— Ensemble ?

Mon hôte secoue la tête.

— Non... Miss Donoghue a filé de bonne heure et s'est fait préparer un casse-croûte. Elle ne compte pas rentrer avant la fin de l'après-midi.

— Vous a-t-elle confié où elle se proposait de se rendre ?

— Non.

— Et Harry ?

— Mr Dobson était tenté de vous réveiller et finalement, il s'est décidé à partir seul pour Galway.

— Galway ? Pourquoi est-il retourné là-bas ?

— Ça, il n'a pas jugé bon de me l'apprendre.

— Merci, mon ami. Je ne déjeunerai pas et vais, sitôt que vous aurez refermé la porte derrière vous, me précipiter sous la douche.

— Alors, je vous laisse... Ah ! j'oubliais de vous annoncer qu'il y a un nouveau pensionnaire, un nommé Ian Clonbern. Un beau gars d'une quarantaine d'années, l'air drôlement costaud. Il arrive de Dublin. Des vacances. Il est employé aux Finances. Un fonctionnaire...

Il hausse les épaules.

— ... Avec la carcasse qu'il a — si vous voulez mon avis —, c'est pitié de penser qu'il use sa vie

120

dans les paperasses. Lui aussi, il est parti se promener. A tout à l'heure.

Tandis que je me frotte sous la douche, je ressens une sorte de gêne. Un sentiment difficilement définissable. L'impression, vraie ou fausse, qu'Ardagh est monté me voir pour m'apprendre quelque chose qu'il ne m'a pas dit et, du coup, voilà ma jalousie réveillée, mes soupçons revenus. Qu'est-ce qui me prouve qu'Oona et Marcus n'ont pas cru tromper Ardagh en ne partant pas en même temps ! Marcus a pu rejoindre l'Irlandaise sur la route de Clifden. Et ce Clonbern... n'a-t-il pas rendez-vous avec Oona ? car je ne sais toujours pas pourquoi elle s'est installée à Leenan. On devine que, parti sur cette pente, rien ne peut plus m'arrêter et lorsque je descends, je ne suis pas à prendre avec des pincettes. Au lieu du thé matinal, je commande un whisky à Ardagh qui remarque :

— Vous avez l'estomac vide.

— Et alors ?

— Ça risque de vous faire mal.

— Je m'en fous ! D'ailleurs, je ne bois pas par plaisir mais pour oublier que les femmes sont toutes des garces !

— Pas toutes !...

— Et qui sont-elles, les honnêtes créatures ?

— Celles que nous aimons, Mr Mulcahy.

Sur le moment, je reste coi, puis — parce qu'au fond, je souhaite être convaincu — je pense à Rosemary.

— J'ai proféré des sottises, Ardagh, pardonnez-moi. J'ignore ce qui m'a pris.

— Ce n'est pas difficile à comprendre.

Je préfère ne pas insister et m'en vais au soleil pour m'y chauffer et y fumer une pipe. Je me perds peu à peu dans une espèce de torpeur béate où le physique l'emporte sur le mental. Le temps passe sans que j'y prenne garde et quand le patron vient m'avertir que mon déjeuner est prêt, j'éprouve l'impression de me réveiller après un long somme.

A table, le cafard me reprend. Je n'ai plus l'habitude de manger seul et ma pensée court dans le sillage d'Oona ou derrière Marcus. Je ne prête guère attention à ce que je mange et je n'en prends conscience qu'en surprenant le regard réprobateur de mon hôte.

Sitôt mon repas terminé, je pars à l'aventure — du moins en suis-je persuadé — mais, en vérité, je me dirige vers cet endroit de la côte où Oona, pour la première fois, m'a dit qu'elle m'aimait.

Je domine, maintenant, les rochers surplombant la vaste baie de Killary. Un paysage que je n'oublierai jamais. Je m'assieds et j'essaie, par le chemin du souvenir, de faire revivre les heures disparues, de redonner une actualité aux joies estompées et c'est alors que je les vois. D'abord, je n'en crois pas mes yeux, ensuite je cède à la fureur qui me secoue. Qui a-t-elle rejoint ? Quelle impudeur lui a permis de rencontrer un autre homme là où nous nous sommes nous-mêmes rencontrés ? Toutes des garces, en dépit d'Ardagh ! Quand je me suis un peu calmé et que je peux regarder le couple sans trembler de rage, je dois avouer qu'il ne ressemble pas à un couple d'amoureux, mais plutôt à des gens discutant avec véhémence. Je balance pour décider si je dois courir vers eux et me dresser sur leur route pour crier à Oona ce que je pense d'elle ou si je dois m'enfermer dans ma peine et regagner l'hôtel pour y préparer ma valise et retourner chez moi. Où trouverai-je le courage de replonger dans ma solitude ?

Je suis resté longtemps assis, respirant l'odeur du vent marin. Dans la chute lente du soleil, je découvre ma propre chute dans une nuit qui ne finira pas.

Je mentirais si je prétendais que j'ai le cœur en fête en prenant le chemin du retour. Je me sens triste à mourir et aussi un peu étonné. Je ne croyais pas être aussi jaloux. J'essaie de me rappeler... Mabel... Jane... Ruth... Daisy... quand elles n'étaient pas avec moi, je ne me posais pas de questions sur ce qu'elles pouvaient faire, parce que cela m'était égal et cela m'était égal parce que je ne les aimais pas. Tandis qu'Oona... Brusquement, le nom de Rosemary s'impose à moi, comme si celle qui le porte désirait comparaître devant mon tribunal personnel. Je dois convenir que jamais le moindre sentiment de jalousie ne m'a effleuré, à son sujet. Peut-être me figurais-je seulement l'aimer ? Cette idée me trouble et j'échappe un instant à mes préoccupations égoïstes, pour plaindre mon amie d'enfance qui doit maudire ma versatilité. Si elle savait...

Tout occupé par mes pensées moroses, je manque heurter Brendan Ardagh qui n'entend pas mes excuses tant il est agité.

— Ah ! Mr Mulcahy ! Je me demande si les hommes ne deviennent pas fous !

— Pas la peine de vous le demander. Ils sont réellement fous.

Il est trop la proie de sa colère pour prêter attention aux réponses que je lui fais.

— Imaginez que ce type de Dublin, ce fonctionnaire des Finances arrivé ce matin, pour pêcher, m'a demandé sa note et, sans autre explication, m'a annoncé son départ immédiat.

— Où est-il ?

— Sur la route de Galway, j'imagine.

— Drôle de bonhomme.

— Ça, vous pouvez le dire ! Il m'a raconté que son service le rappelait d'urgence à Dublin. Un mensonge stupide ! Comment aurait-on pu l'appeler ailleurs qu'ici et de quelle façon s'y serait-on pris, puisqu'il se promenait dans la campagne ! Je donnerais bien quelques livres pour comprendre ce qu'il est venu chercher chez nous.

Cette remarque me traverse le cœur et je reste la bouche ouverte, pareil au malheureux que la foudre frappe sous l'arbre où il se jugeait à l'abri. J'ai envie de crier à Brendan que je sais pourquoi son faux pêcheur est venu : pour Oona. Et je m'enquiers, d'une voix que je m'efforce d'empêcher de trembler :

— Miss Donoghue serait-elle partie avec lui ?

Ardagh me fixe, les yeux ronds.

— Miss... En voilà une idée ! Elle est assise à votre table et commence à dîner.

Je respire, délivré. Je cours me laver les mains et rejoindre mon Irlandaise. Avant de pénétrer dans la salle à manger, je m'arrête sur le seuil pour la contempler. Je l'aperçois de profil. La lampe cerne d'un halo lumineux le visage de ma bien-aimée qui, jamais, ne m'a paru si pure, si tendre, si confiante... Par quelle aberration ai-je pu la soupçonner de mensonge, de duplicité ? L'amour l'emporte sur la rancune et, oubliant mes angoisses, mes fureurs de la journée, je me hâte vers Oona qui me regarde venir, impassible.

— Bonsoir, Oona.

— Bonsoir.

Je prends place en face d'elle.

— Pour quelles raisons m'avez-vous abandonné, aujourd'hui ? alors que Dobson, de son côté, s'en allait en omettant de me prévenir.

— J'ignorais les intentions de Mr Dobson... Quant à moi, j'avais besoin d'une journée de solitude pour réfléchir.

— Réfléchir ?

— A l'avenir.

— Alors ?

— Je ne sais pas encore.

— Il faudrait pourtant vous décider !

— La décision est tellement grave... Elle pèsera sur toute notre vie...

— Je n'ai pas peur !

— Moi si !

— Peur de moi ?

— De votre jalousie ! Elle peut ruiner tout ce que nous essaierons de construire.

— Je ne serais pas jaloux si vous ne m'en donniez pas l'occasion.

— Allons, Pat, vous n'ignorez pas que ces occasions, vous les inventez ?

— Je n'ai pourtant pas inventé l'homme avec qui vous vous promeniez cet après-midi dans les rochers où, pour la première fois, nous avons échafaudé nos projets.

— Ainsi, vous m'avez espionnée ?

— Non, le hasard seul m'a fait vous découvrir.

— Et, naturellement, vous avez décidé que je ne vous avais pas attendu ce matin parce que je tenais à vous éloigner tandis que je courais à un rendez-vous ?

— Mettez-vous à ma place !

— Même à votre place, je ne douterais pas de celle que je prétendrais aimer !

Elle se lève froide, distante, glacée.

— Vous voyez bien, mon pauvre Pat, que vous êtes plus atteint que vous ne le pensez. Cependant, je tiens à vous dire que je ne connaissais pas l'individu qui m'a abordée pour me poser des questions absurdes sur le pays : s'il y avait des grottes que la mer n'atteignait pas, s'il y avait beaucoup de touristes, jusqu'où se rendaient les pêcheurs de Leenan. Rien d'un duo passionné, comme vous vous le figurez. Bonsoir !

J'étais trop anéanti pour lui répondre autrement que par un grognement. A quoi bon continuer à me raconter des histoires ? J'avais, une fois de plus, par ma sotte jalousie, éloigné Oona de moi. Ce serait dur de la reprendre.

Marcus me trouva assez déprimé sur la chaise que je n'avais pas eu la volonté de quitter.

— Je n'ai pas voulu interrompre votre repos, ce matin. Il me fallait téléphoner à Londres pour apprendre que rien ne clochait dans mon service. On dit beaucoup de mal des fonctionnaires mais vous constatez que, même en vacances, ils se soucient de leur travail. Je ne pouvais appeler le Yard de Leenan, sinon tout le monde aurait été au courant de mon identité. Et vous, Pat, comment avez-vous passé cette journée ?

Je ne songe pas à lui parler de l'olibrius qui a fait un passage éclair dans notre hôtel et je m'étends longuement sur mon différend avec Oona. Lodge m'écoute sans un mot, se contentant de hocher la tête de temps en temps. Je termine en réclamant son avis :

— Vous m'autorisez à vous parler franchement, Pat ?

— C'est ce que j'attends de vous.

— Dans ce cas, oubliez miss Donoghue. Elle n'est pas une compagne pour vous.

— Qu'en savez-vous ?

— Dès que je l'ai vue, j'ai compris qu'elle ne ressemblait pas aux autres femmes. D'après ce que vous m'avez appris, elle n'a pas eu d'enfance et elle a été malheureuse comme peu l'ont été. Elle est marquée, Pat. On ne bâtit pas sa vie avec quelqu'un qui porte un pareil poids, même s'il pense s'en être débarrassé.

— J'aiderai Oona à le porter !

— Vous êtes de bonne foi, j'en suis sûr, mais on ne va pas contre certaines lois humaines. Ni vous ni personne ne peut sauver celui ou celle qui n'entend pas être sauvé.

— Pas d'accord !

— Je m'en doutais ! Et maintenant, si nous parlions d'autre chose ?

Je n'ai pas la moindre envie de parler d'autre chose et je monte me coucher, l'âme barbouillée.

Le matin suivant, j'ai la bouche amère, le cheveu raide et les paupières lourdes. J'ai eu un sommeil haché. Depuis quelques nuits, c'est devenu une habitude. Je ne parviens pas à oublier les conseils de Marcus. Pourquoi m'a-t-il parlé de la sorte ? Impossible de songer à la jalousie. Mon ami est très au-dessus de ces faiblesses et, ayant eu confiance en lui du moment où je l'ai rencontré, je n'allais pas changer d'opinion aujourd'hui. Quelle attitude vais-je adopter à l'égard d'Oona ? Je n'ai pas le courage de renoncer à elle. Je l'aime. Il faut qu'elle le comprenne et me pardonne mes soupçons imbéciles. Je me lève, débordant de bonnes résolutions.

Je dévale l'escalier plus que je ne le descends,

j'entre en vainqueur dans la salle à manger et je m'y retrouve seul. Je consulte ma montre. Je ne comprends pas. Ils devraient être là. Brendan s'approche de ma table et s'enquiert, sans me regarder :

— Des œufs ou du poisson, sir ?

— J'attends mes amis.

Il a l'air bougrement embêté, le patron.

— Je ne pense pas que ce soit nécessaire, sir.

— Par exemple ! Qu'est-ce qui vous prend, Ardagh ? Vous ne voulez pas que je prenne mon breakfast avec miss Donoghue et Mr Dobson ?

— Oh ! ce n'est pas que je ne veuille pas, mais...

— Mais ?

— Ils sont partis.

— Partis ?

— Avec leurs valises. Ils ont réglé leurs notes.

Devant Brendan, je n'ai pas envie de crâner. Stupidement, je répète :

— Ils ont réglé leurs notes... Alors, ils sont partis... Définitivement ?

— Sans aucun doute.

— Ensemble ?

— Ensemble.

— Et... ils ne vous ont pas chargé de...

— ... vous remettre deux lettres ? Si, les voici.

J'ai les lettres dans les mains et n'ose pas les ouvrir... Je ne peux pas les ouvrir tant mes doigts tremblent. Discrètement, l'hôtelier se retire et je prends, d'abord, le billet d'Oona. Il est court.

Pat, pardonnez-moi. Je pars parce que je sais que nous ne serions pas heureux. Un autre m'aime que j'aime moins que vous, mais qui me sera un soutien plus sûr. Oubliez-moi le plus vite possible. Adieu. Oona Donoghue.

Hébété, je relis ces lignes qui, en dépit des lectures

répétées, me demeurent incompréhensibles. Je prends la lettre de Lodge. Elle est encore plus courte que celle d'Oona :

Essayez de ne pas m'en vouloir. Je vous plains. Lodge.

La comédie qu'ils m'ont jouée, tous les deux !... Elle, avec ses faux élans, lui, avec sa pseudo-amitié... Ils m'ont bien eu ! mais, pourquoi ? Sans doute s'ennuyait-elle et a-t-elle voulu se distraire à mes dépens... Et lui ? La connaissait-il avant ou l'a-t-elle choisi pour la tirer du guêpier où elle s'était fourrée en me laissant croire qu'elle m'aimait ?

Ardagh revient.

— Alors, pour votre breakfast ?

— Elles sont toutes des garces, vous entendez ? Toutes !

Cette fois, il ne proteste pas.

CHAPITRE IV

Le jour qui suit, je le passe à boire du whisky. Vers midi, abruti par l'alcool, je tombe sur mon lit et sombre dans un sommeil épais. Je ne reprends conscience que vers le soir. J'ai faim. Un mal de tête terrible me broie le crâne. Ma vue est trouble. Je me contemple dans la glace et je me dégoûte. Je descends réclamer à Ardagh une quantité de café qui, je l'espère, m'éclaircira les idées. Dans l'escalier, je trébuche et me cramponne à la rampe. En bas, Brendan m'attend, l'œil sévère. Il me parle sur un ton dont il n'aurait pas usé au matin.

— Vous êtes content ?

Je le considère sans comprendre. Il insiste.

— Un homme comme vous !

— En quoi cela vous regarde-t-il ?

— Je n'aime pas avoir des lâches dans ma maison !

— Je ne vous permets pas de...

Il me coupe la parole en brandissant, sous mon nez, une bouteille de whisky vide.

— Parce que ça, Mr Mulcahy, c'est le refuge de ceux qui n'ont pas grand-chose dans le ventre !

Il a raison, mais je ne peux en convenir. J'ai été assez humilié pour aujourd'hui.

— Fichez-moi la paix, Ardagh.

Je l'écarte et vais m'asseoir sur le banc, contre le mur de l'hôtel, pour jouir des derniers rayons du soleil. Il ne tarde pas à me rejoindre.

— Je sais que je me mêle de ce qui ne me regarde pas, inutile de me le répéter, mais je ne peux pas supporter l'idée qu'un Irlandais se conduise de cette façon ! Pensez aux ancêtres, par saint Patrick !

— Que puis-je faire ?

— Vous battre !

Je hausse les épaules.

— Avec qui ? Ils doivent être à Londres, maintenant.

— Non, à Dublin.

— Qu'en savez-vous ?

— Avant de quitter l'hôtel, Mr Dobson m'a donné l'adresse où je devais lui écrire.

— Lui écrire ?

— Pour lui apprendre la façon dont vous avez pris la chose.

— Le salaud !

— Il n'était pas très fier de son geste, j'imagine.

— Il s'est foutu de vous, la canaille !

— Il semblait vraiment malheureux.

— Alors, il vous a eu, vous aussi ? Il était peiné de m'enlever ma fiancée, hein ? Et elle, elle pleurait, sans doute ?

— Oui.

— Ce n'est pas vrai !

— Si !

— Ils me trompent et ils sont au désespoir de me tromper ?

— Pourquoi pas ?

— Des comédiens ! rien de plus ! des comédiens ! Cette adresse ?

— *Hôtel Glengariff*, dans O'Parnell Street.

— Parfait. Préparez ma note. Je boucle mes valises et, après un bon dîner, je me rendrai à Dublin. Je vous jure, Ardagh, que si ce salaud se trouve à l'hôtel que vous m'avez indiqué, je lui aurai cassé la gueule avant qu'il ne fasse jour.

Au début, je me force à manger, peu à peu, l'appétit vient et, au fur et à mesure, le chagrin cède à la colère. Brendan me couve à la façon d'un manager de boxe donnant les ultimes soins à son poulain avant de le laisser monter sur le ring. Je ne bois que du thé pour tenter de contrebalancer tout le whisky absorbé dans la journée. Pendant le repas, j'écoute mon hôte dans une sorte d'inattention permanente, l'esprit trop occupé par la perfidie d'un couple sur l'amitié et l'affection duquel je croyais pouvoir compter afin de donner un sens à ma vie. Soudain, une question m'arrache à mon indifférence.

— Lorsque vous aurez cassé la figure de Mr Dobson, que ferez-vous de miss Donoghue ?

— Je ne sais pas... Ou je lui dirai ce que je pense d'elle ou je l'épouserai.

— Quand même ?

— Je l'aime et la déteste à la fois.

— Normal. Je souhaite que vous vous rabibochiez tous les deux parce que toute une vie avec une femme qu'on n'aime pas tandis que celle que vous aimez est à un autre, c'est dur...

En passant à Maam Cross, j'ai, de nouveau, un moment de cafard. Je réduis ma vitesse, tout entier la proie de souvenirs douloureux et récents. A travers les vitres baissées, dans la bise nocturne courant sur les collines, je réentends la voix d'Oona.

« Retrouverons-nous jamais une nuit pareille, Pat ? »

Pourquoi ces mensonges inutiles puisqu'elle savait qu'il n'y aurait plus aucune nuit pour nous deux ? Maintenant, je comprends combien ma réflexion — qui ne se voulait que taquine — l'avait cruellement touchée. « Qui donc a peur des créatures de la nuit venant tourmenter ceux qui n'ont pas la conscience tranquille ? » Elle avait dû, un moment, se croire percée à jour si j'en dois juger par le ton qu'elle avait pris pour m'imposer silence. Je souffre du méchant tour qu'Oona m'a joué, mais j'enrage plus encore de ne pas deviner pour quelles raisons elle me l'a joué.

J'appuie sur l'accélérateur pour échapper aux fantômes qui me poursuivent.

J'atteins Galway vers 11 heures. Je ne sais pourquoi — peut-être parce que instinctivement je me raccroche aux restes d'un passé où j'ai connu un bonheur que je ne retrouverai plus — je me dirige vers le cabaret où Oona et Marcus avaient trahi leur attachement dans ce baiser qui avait surpris notre hôtesse et m'avait irrité. Mrs Glenshane n'est pas couchée. J'envoie des petits cailloux dans la vitre que je suppose être celle de sa chambre. Au bout de quelques secondes, la fenêtre s'ouvre avec violence et la puissante Edith s'enquiert, furieuse :

— Qui c'est qui joue à m'embêter, à cette heure ?

— C'est moi.

— Qui ça ?

— Celui qui est venu, l'autre jour, dîner avec sa fiancée et son ami.

— Alors ?

— Je n'ai plus de fiancée, ni d'ami.

— Ah ?... c'est quand même pas une raison pour me déranger à une heure pareille ! Que voulez-vous ?

— Vous parler.

— Hein ?

— Comme j'ai parlé à Brendan.

Un court silence s'établit au cours duquel je me sens stupide. Que suis-je venu chercher auprès de cette vieille femme alcoolique ? Si l'on m'avait posé la question, j'aurais été incapable de répondre de façon sensée.

— Je descends.

Elle porte une robe de chambre bâillant sur une camisole douteuse. Son haleine sent le gin.

— Entrez vite ! Je tiens pas à ce que des voisins nous voient.

Elle accompagne cet avertissement d'un rire assez ignoble. Dès que je mets le pied dans la salle où nous avons dîné, Mrs Glenshane me pousse brutalement dans une pièce aux volets clos, et allume une lampe à pétrole avant d'aller chercher une bouteille dans une armoire en merisier aux panneaux ornés de figures étranges.

J'accepte de boire avec un tel manque d'enthousiasme que mon hôtesse ricane :

— Si votre histoire ressemble à la mienne, vous n'avez que deux solutions : la tuer ou le whisky. Moi, j'ai été assez lâche pour choisir la deuxième. Ni Brendan ni moi ne nous en sommes remis.

Tandis qu'elle parle de son amour manqué, le visage flétri de cette maritorne s'illumine d'une jeunesse imprévue et touchante. Nous échangeons nos amertumes, mélangeons nos peines et lorsque je la quitte, vers minuit, Edith ne sait plus bien ni où elle est ni à quelle époque elle vit. Pour moi, je me sens curieusement léger, mais je bénis la pluie qui commence à tomber et qui n'incitera pas les policiers à sortir de leurs tanières.

Je ne roule pas vite, ne voulant pas me tuer avant d'avoir démoli cette crapule de Lodge. Au fur et à mesure que je m'éloigne de la mer, le silence devient plus profond, plus envoûtant. Je n'ai pas sommeil, trop d'images me tiennent compagnie. Soudain, Oona murmure à mon oreille : « Vous êtes le premier auprès de qui je me sente en sécurité... » Un sanglot de rage m'arrache la gorge. Menteuse ! Mais, un instant après, le chuchotement reprend : « Avec vous, on a l'impression qu'on peut se laisser vivre les yeux fermés. Tout devient simple, facile. Il suffit de vous donner la main, on est sûr d'avancer dans le bon chemin. » Garce ! Mes doigts se crispent sur le volant. J'essaie de chanter pour ne plus entendre celle qui s'est aussi monstrueusement jouée de moi. Cependant, j'ai beau faire, lancinante, la voix soupire : « ... le bonheur vrai, Mr Mulcahy, c'est d'être certain d'en avoir encore demain et les jours à venir... » J'appuie désespérément sur mon klaxon — au risque de réveiller et d'affoler les hameaux traversés — pour ne plus écouter ces phrases qui font saigner la plaie que deux misérables m'ont infligée.

Je me tiens à la frontière du réel et de l'irréel lorsque, vers 3 heures et demie du matin, je m'enfonce dans Dublin désert. A l'aide d'une carte, je ne tarde pas à repérer O'Parnell Street et bientôt, je m'arrête devant le *Glengariff*. Une impatience quasi maladive me secoue de la tête aux pieds. Je dois insister longuement sur la sonnette de nuit avant qu'un vieux bonhomme, le cheveu en désordre, l'œil chassieux, traînant ses pantoufles, ne se décide à m'ouvrir. Le ton sur lequel il me demande ce que je veux signifie que ce n'est vraiment pas une heure pour réveiller les honnêtes gens. En le poussant, je l'oblige à regagner le bureau de la réception. Il a un peu peur. Il est vrai que je ne dois pas avoir une mine rassurante.

— Je n'ai plus de chambre.

— M'en fous ! J'ai un message pour Mr Dobson.

— Qui ?

— Mr Dobson ! Il est descendu chez vous, avec une femme, hier.

— Attendez que je consulte le registre.

Pendant qu'énervé, je pianote sur le bureau, le doigt du veilleur suit attentivement, ligne après ligne, les noms des voyageurs avant de relever la tête et de me lancer ironiquement :

— C'était pas besoin de mener tout ce tapage ! Y'a pas de Dobson, ici !

— Pas de Dobson ?

— Si vous me croyez pas, regardez vous-même !

A mon tour, je parcours le registre. Pas de Dobson. Dans ma tête enfiévrée, tout se mélange. Je ne parviens plus à décider quoi que ce soit. C'est au tour du vieux de me ramener à la porte en me consolant.

— Vous avez dû vous tromper d'hôtel... Allez donc vous reposer, après vous réfléchirez et vous trouverez votre copain.

Je me laisse conduire à ma voiture, sans réagir. Longtemps, je demeure assis à mon volant, sans songer à démarrer. Est-ce Brendan qui m'a menti ou les autres qui l'ont dupé et moi à travers lui ? J'ignore combien de temps je reste là. C'est le bruit de la pluie qui me remet d'aplomb et je pars à la recherche d'un hôtel. Demain, j'irai retenir une place dans l'avion de New York.

En passant dans une rue dont je ne peux lire le nom, je vois les éclairages au néon d'une boîte de nuit, *Le Chat échaudé*, d'où s'échappent des harmonies approximatives. Je n'ai pas sommeil et je sais que si je m'enferme dans une chambre, je m'y soûlerai en attendant une aube qui ne m'apportera rien. Alors, autant me soûler en compagnie de filles et de gens qui, eux aussi, ont peur de la nuit.

Une vague de chaleur me saute au visage quand j'entre dans la salle. Un orchestre se déchaîne. Des couples dansent. Certains semblent dormir tout en esquissant des pas d'une lenteur digne d'un ralenti cinématographique. Un maître d'hôtel ressemblant à un officier des gardes me conduit à une table et, sur ma demande, m'apporte une bouteille de whisky. En quelques minutes, j'en vide la moitié. L'alcool, loin de me remonter le moral, m'abrutit un peu plus. Toutefois, si mon désespoir est toujours aussi profond, je ne me souviens plus de ses raisons. Deux filles, une brune et une blonde, jugeant sans doute que j'étais à point pour être plumé, s'approchent de moi, en ondulant des hanches. Les femmes, j'en ai ma claque. La brune me demande :

— Vous nous payez un verre, à ma copine et à moi ?

— Non.

Elles ont l'air surpris. La blonde tente sa chance.

— Alors, qu'est-ce que vous aimeriez ?

— Rien.

Bien que déçue, la brune remarque :

— Vous avez une drôle de façon de vous amuser !

— Qui vous a dit que je m'amuse ?

La blonde saute sur l'occasion et, me posant une main sur l'épaule :

— Des peines de cœur ? Confiez-les-nous, ça passera le temps.

Sa camarade renchérit :

— Et puis, on a l'habitude...

Ces idiotes me prennent pour qui ?

— Allez, hop ! dégagez ! Je vous ai assez vues !

J'ai parlé suffisamment fort pour qu'aux tables encore occupées les conversations s'arrêtent. La salle entière nous regarde. Pour sauver la face, la blonde proteste :

— Non, mais dites donc, en voilà des manières !

Le maître d'hôtel se précipite :

— Quelque chose qui ne va pas ?

Je montre les filles du doigt :

— Elles m'embêtent !

Le client ayant toujours raison, le maître d'hôtel renvoie les demoiselles :

— N'insistez pas, petites.

La blonde passe son bras sous celui de la brune, en disant :

— Allez, viens, Oona...

Quand elle prononce ce prénom, je suis en train de payer. J'abandonne l'argent et me jette sur la fille que j'attrape par le bras.

— Qui venez-vous d'appeler ?

— Mais, Oona, ma camarade.

— Ce n'est pas vrai ! Oona n'est pas là ! Oona est partie et elle ne reviendra pas !

— Si, puisque la voilà !

— C'est faux !

La brune m'affirme paisiblement :

— Je me prénomme Oona.

— Je vous défends de répéter ce mensonge !

Un chétif, qui assiste à la scène en rigolant, a la sotte idée de jouer les conciliateurs. Il se lève et me conseille :

— Vous êtes soûl, mon vieux, allez donc vous coucher !

C'est lui qui va se coucher, après avoir encaissé

mon crochet du droit. Instinctivement, il se raccroche à une fille qui tombe sur lui en piaillant. Aussitôt, le tumulte devient grandiose et, en quelques minutes, tout le monde se tape dessus sans savoir pourquoi. Le maître d'hôtel me désigne aux deux garçons qui l'accompagnent.

— Dehors !

J'ai envie de me battre parce qu'il me semble cogner sur ce faux témoin de Marcus mais je n'en ai pas le temps. Un des garçons m'assène un coup de matraque en annonçant :

— Monsieur est servi !

Je suis dans le cirage et ne résiste guère quand les deux loufiats m'emportent et me déposent sur le trottoir, sous la pluie. Plein d'une fureur sacrée, je me ramasse péniblement sur moi-même afin de tenter un nouvel assaut, quand une voix rocailleuse s'enquiert :

— Alors, mon pote, on se plaisait plus au *Chat échaudé* ?

Ayant retrouvé mon équilibre, je me retourne pour voir un clochard qui me sourit. Autant que j'en peux juger dans la lumière des néons, c'est un type sans âge, grand, maigre et voûté.

— Je m'appelle Sean... quant à mon nom de famille, j'en ai tellement changé que je me souviens plus du bon.

— Aucune importance.

— C'est bougrement vrai.

Il me rattrape de justesse au moment où je vais m'affaler.

— Dites donc, vous m'avez l'air d'en tenir une soignée !

— C'est pas ça qui m'empêchera de leur casser la gueule !

— A qui ?

Je montre *Le Chat échaudé*.

— A ceux qui m'ont balancé sur le trottoir !

— Vous allez encore vous faire dérouiller et ça vous avancera à quoi ?

Il a raison, mais je ne veux pas me dégonfler. C'est absurde, seulement avec ce que j'ai de whisky dans le corps, il est difficile de raisonner sainement. L'autre insiste :

— Comment que vous vous sentez ?

— Plutôt moche !

— C'est la cuite. Faut marcher.

Il en a de bonnes ! Essayer de marcher quand la chaussée ondule et que les maisons vous font des crocs-en-jambe ! Sean m'attrape par le bras et je suis assailli par une odeur qui ressemble à tout sauf à un parfum de Paris ! Je veux me dégager, mais le bougre m'agrippe solidement et m'entraîne. Je titube, il me soutient. Au bout d'une centaine de mètres, j'ai moins mal au cœur.

— Pourquoi que vous vous êtes battu ?

Je lui explique la colère qui m'a empoigné lorsqu'une des filles de la boîte a appelé sa copine Oona. Après, ça devient plus difficile à raconter, car moi-même je n'y comprends pas grand-chose. Mon compagnon paraît réfléchir un instant, puis :

— Si j'ai pigé, c'est une poule qui s'appelait comme votre poule, mais c'était pas elle et ça vous a fichu en rogne ? (Il a un rire complice.) Fallait-il que vous soyez soûl...

Il m'énerve avec ses remarques idiotes.

— Je vous défends de rire ou c'est à vous que je casse la gueule ! Je ne veux pas qu'on se moque d'Oona... Ce n'est pas une histoire drôle, mais triste et vous ne pouvez pas deviner à quel point...

Je m'attendris sur moi-même jusqu'à me mettre à pleurer. Il a vu juste, le Sean, j'en tiens une fameuse. Lui, il me tapote le dos, fraternel.

— C'est ce qu'on se figure mais, croyez-moi, vieux, les histoires les plus tristes sont toujours marrantes, au fond.

J'ai complètement perdu les pédales et, dans la nuit irlandaise, j'appelle Oona comme si nous jouions à cache-cache. Mon copain m'avertit :

— Continuez et vous tarderez pas à voir rappliquer les flics ! (Il ajoute :) Les femmes, mon gars, c'est toujours du pareil au même... Tenez, moi qui vous cause, j'en avais une, de femme, mais alors, une chouette ! eh ben, ça l'a pas empêchée de me plaquer...

— Je m'en fous !

— Ah ?... C'est vrai qu'on s'fout toujours des malheurs des voisins... c'est peut-être pour ça qu'il y a tant de vacheries sur notre saloperie de planète... Vous devriez rentrer chez vous... Pas la peine d'attraper la crève, ça la fera pas revenir. Allez, c'est par où que vous allez ?

— J'ai mon auto.

— Montrez-moi où qu'elle est.

D'un geste vague, je lui désigne le bas de la rue et nous voilà partis, appuyés épaule contre épaule. J'hésite devant les voitures qui ressemblent à la mienne, mais ne sont jamais la mienne, au point que mon clochard commence à s'énerver :

— Où qu'elle est, cette sacrée auto ?... des fois, vous m'auriez pas raconté une blague ? Vous seriez pas venu à pied ?

Pour toute réponse, je lui désigne ma Vauxhall. Il siffle d'admiration.

— Ben, mon bonhomme... Elle est à vous ?

— Louée.

— Ah ! bon... Je vous aide à y grimper ?

— A condition que vous montiez aussi.

— Moi ? (Il s'étonne avec simplicité.) Vous sentez donc pas comme je pue ?

— Oh ! si, mais ça n'a pas d'importance. Montez, je vous raccompagne chez vous.

Il s'installe en rigolant.

— Je couche à l'asile de nuit.

— Indiquez-moi la route.

— Vous pensez pas que vous êtes un peu trop soûl pour conduire ?

— Si.

— On risque de s'envoyer dans le décor, non ?

— Quelle importance ?

— Vous avez raison, on s'en balance ! En route !

Cette promenade, dans les rues endormies de Dublin, au cours de laquelle les règles de la circulation furent hautement méprisées, restera dans mon souvenir comme une preuve indiscutable de la tendresse de Dieu envers les ivrognes. Après un nombre incroyable de sens interdits empruntés à toute vitesse, d'embardées sur les trottoirs, de rares noctambules évités de justesse, je me suis engagé dans la rue sombre où se trouve l'asile de nuit. Jamais clochard n'a été amené là en voiture particulière. Mon compagnon en marque une satisfaction profonde pimentée d'un brin de vanité. Sean et moi, nous nous quittons après de grandioses protestations d'amitié et quand je lui glisse un billet de dix livres, il manque pleurer d'attendrissement, m'assurant que je suis l'homme le plus merveilleux qu'il ait rencontré dans sa putain de vie.

Débarrassé de mon encombrant ami, je repars doucement et gagne les grandes artères à la recherche d'un gîte. J'essuie plusieurs échecs avant qu'on ne m'accepte dans un hôtel modeste où, pour excuser ma tenue, j'invoque un changement de pneu sous la pluie et dans la boue. L'aube se montre lorsque je peux, enfin, passer sous la douche et me glisser dans des draps à odeur de lavande.

Je me réveille au début de l'après-midi dans un état assez piteux. J'ai l'impression que ma bouche est tapissée de coton, que j'ai le cou et la nuque emprisonnés dans un carcan de ciment. Je bois un litre d'eau et commande, par téléphone, un pot de café. Avant de procéder à une vraie toilette, j'essaie de réfléchir. Pourquoi Marcus a-t-il donné une fausse adresse à Brendan Ardagh ? Pour m'égarer ? Me faire perdre du temps et prendre le large cependant que je chercherais les fugitifs dans la capitale irlandaise ? J'ai du mal à adopter pareille éventualité qui me forcerait à voir Lodge sous un jour que je me refuse encore à admettre en dépit de ce qu'il m'a fait. Et pourtant, de quelle façon expliquer cette manœuvre ? Je me torture l'esprit pour essayer de comprendre lorsque, soudain, une idée me jette hors de mon fauteuil : pour quelles raisons Marcus se serait-il inscrit sous le nom de Dobson ? Maintenant qu'elle est avec lui, il n'a plus aucun motif de cacher son vrai nom à Oona. La vérité m'apparaît, brutale, et j'en éprouve une honte rétrospective : trop ivre pour savoir exactement ce que je faisais, je me suis obstiné à chercher, sur le registre de l'*Hôtel Glengariff*, une dame et un monsieur du nom de Dobson sans me soucier d'un couple qui se nommerait Lodge ! Je me battrais ! Peut-être avais-je laissé passer la chance de surprendre les misérables au nid. Maintenant — si tant est qu'ils habitaient bien le *Glengariff* — ils doivent être loin ! Si j'avais nourri la moindre illusion quant à mes qualités de policier, aujourd'hui, je serais guéri.

Je ne bouge pas de ma chambre jusqu'à cinq heures du soir. Finalement, je me ressaisis. L'heure est venue de payer mes illusions et mes sottises. Par principe, je me rendrai au *Glengariff* pour recevoir la confirmation du départ de Mr et Mrs Lodge, puis, j'irai à l'« Aer Lingus ». Je peux être à Washington après-demain. Ensuite ? Je ne sais pas... Je crois que j'annoncerai à l'oncle que je reprends du service et que je souhaite assumer les missions les plus dangereuses. Comme j'ai dit adieu à Rosemary, je dis adieu à Oona. Départ discret, à moins que je ne rencontre Marcus.

Pour rassurer les employés de l'hôtel, au cas où les Lodge seraient encore là, j'achète un superbe bouquet. Lorsque je me présente à la réception, mes fleurs font excellente impression. Nul ne prend garde au tremblement de ma voix quand je demande :

— Mr Lodge est-il encore ici ?

L'employé, fort élégamment vêtu, consulte le livre des entrées.

— Oui, il est ici.

La surprise me paralyse quelques secondes et c'est presque avec timidité que je m'enquiers :

— Se trouve-t-il chez lui, en ce moment ?

Le jeune homme jette un coup d'œil au tableau où sont accrochées les clefs.

— Oui, sa clef n'est pas là. Le 48. Dois-je vous annoncer ?

— Non. Je lui réserve la surprise.

Il sourit, complice. S'il se doutait du genre de surprise que je destine à ce cher Marcus et à la non moins chère Oona... Dans l'ascenseur, je ne sais pourquoi, je pense à ma mère. Si elle était là, elle me

144

supplierait de faire attention, de ne pas m'abandonner à une colère qui pourrait me conduire en prison pour longtemps. Je n'ai plus la patience d'écouter la voix de la sagesse. L'ascenseur s'arrête sans bruit au quatrième étage. Je sors et m'avance à pas feutrés dans le couloir après avoir repéré approximativement le 48. Me voici devant la porte. Je respire à fond et je frappe. Je devine le pas qui s'approche. Je suis si tendu que j'en ai mal. On ouvre et Marcus apparaît. Dans un geste spontané, je lui tends mon bouquet. Stupéfié par cette offrande inattendue, il attrape les fleurs et les regarde, ce qu'il n'aurait pas dû faire car, de toutes mes forces, augmentées de toute ma rancune, de toute ma peine, je cogne sur ce menton qu'il me présente avec tant d'inconscience. Il ne tombe pas immédiatement. Il lâche les fleurs, me regarde d'un œil vitreux et s'effondre, d'un bloc, en arrière. Je referme la porte derrière moi, je prends une chaise et m'assieds à côté de ma victime, attendant qu'elle reprenne conscience. Marcus met près de trois minutes pour recouvrer ses sens. Il m'examine :

— Vous auriez pu me tuer si ma tête avait porté sur l'angle de la commode.

— Et après ?

— Vingt années de prison, au moins.

— Qu'est-ce que vous voulez que cela me fasse ?

— Idiot...

— Vous ne pensez pas, dans la position où vous êtes, que vous seriez mieux inspiré de vous montrer poli ?

Il a le culot de rire.

— Bien que vous m'ayez assommé par surprise, je vous garde mon affection.

— Vous ne manquez pas de culot !

— Vous permettez que je me relève ?

— Non !

— Vous êtes un drôle de type, Patrick. Si j'étais à votre place...

Alors, je perds mon calme.

— A ma place ? Mais, j'ai l'impression que vous l'avez prise, ma place, non ? et sans me consulter, encore !

— Si vous me laissiez m'expliquer...

— Parce que vous pensez que je n'ai pas compris ?

— J'ai cru bien agir.

— Taisez-vous ou je recommence à cogner !

Il esquisse un signe de tête signifiant qu'il m'obéit. J'examine ce visage qui, pour moi, était celui de l'amitié jusqu'à ce que...

— Marcus, vous saviez que j'aimais vraiment Oona, que ce n'était pas une passade ?

— Oui.

— Et pourtant, vous n'avez pas hésité à me la voler...

— J'y étais obligé.

— On n'est jamais obligé de se conduire comme un salaud.

— Quelquefois, si.

— De quelle façon vous y êtes-vous pris pour me l'enlever aussi rapidement ? Vous n'êtes pas un don Juan et elle n'est pas une putain. Je ne vois qu'une réponse : vous la connaissiez avant de la rencontrer à Leenan, n'est-ce pas ?

— Oui.

— Pourquoi ne pas m'avoir averti quand vous êtes arrivé à l'hôtel ?

— Vous étiez déjà amoureux, j'ai craint de vous blesser.

Je juge nécessaire de pousser un ricanement que je veux méprisant et qui n'est que douloureux.

— C'est aussi pour ne pas me causer de la peine qu'Oona m'a joué la comédie ? Allons donc ! Je suis sûr qu'elle m'aimait et que si vous n'étiez pas venu, elle m'aurait épousé !

— J'en suis convaincu.

— Et vous ne le vouliez pas ?

— Non.

— Jalousie ?

— Absolument pas. Moquez-vous ou ne vous moquez pas : par amitié pour vous.

Je scrute ses traits et je conviens qu'il semble parler sérieusement.

— Ce que je ne saisis pas, c'est la raison pour laquelle, à Londres, vous ne m'avez pas présenté Oona. Où se cachait-elle pendant que vous filiez le parfait amour avec cette petite brune dont je ne me rappelle plus le nom ?

— Elle était déjà partie.

— Vous la cherchiez ?

— Oui.

— Pourquoi ne pas m'en avoir parlé ?

— A quoi bon ?

— Vous ignoriez sa présence à Leenan ?

— Je m'en doutais...

— Elle m'a menti, vous m'avez menti...

— Je vous répète que nous ne pouvions agir autrement.

— Marcus, je suis un homme simple, peu à l'aise dans les complications psychologiques, un homme pour qui l'ami qui trahit l'ami est le dernier des derniers et la femme qui, par jeu, joue la comédie de l'amour auprès de quelqu'un qu'elle sait profondément épris d'elle, une garce.

— Vous vous obstinez à juger sur les apparences.

— Les apparences ! Vous en avez de raides ! Oona ne m'a-t-elle pas plaqué ?

— Non !

— Alors, ça ! Et vous, vous ne m'avez pas abusé ?

— Non !

— Relevez-vous, Marcus ! Cela me répugne de frapper un homme à terre et je vais vous flanquer une correction qui, pendant un certain temps, vous empêchera de jouer les jolis cœurs !

Il se redresse avec assez de difficulté et, se frottant le menton, remarque :

— Vous avez une sacrée droite...

— Je me propose de vous la faire mieux apprécier encore !

— J'aimerais que vous ayez assez confiance en moi, en notre amitié, pour partir tranquillement et rejoindre Mayoworth.

— Et vous laisser tranquille avec Oona, hein ? Vous perdez l'esprit, ma parole, pour oser me conseiller une chose pareille !

— Je n'espérais pas que vous accepteriez.

— Avant que je ne vous inflige la correction que vous méritez, dites-moi si vous aimez vraiment Oona ?

— Non.

— Vous mentez !

— Non !

Il a l'air sincère et je perds pied.

— Alors, un caprice ?

— Même pas.

— Et elle ?

— Soyez tranquille : elle ne m'aime pas et n'a aucune raison de m'aimer.

148

— Dans ce cas, pourquoi s'est-elle prêtée à cette étrange comédie ?

— Elle ne pouvait refuser.

— Ce n'est pas possible : ou je suis devenu subitement idiot ou je suis fou ! Comment ? Vous voudriez me donner à croire que vous enlevez une femme que vous n'aimez pas, qui ne vous aime pas et qui accepte cependant de partir avec vous ?

— Pourtant, la vérité est là.

— Alors, c'est vous qui êtes fou ! Conduisez-moi près d'Oona. J'exige qu'elle me dise elle-même les raisons de sa conduite absurde.

— Vous la verrez, je vous en donne ma parole.

— Quand ?

— Demain.

— Pourquoi pas ce soir ?

— Parce qu'elle est en prison.

Sur le moment, je ne saisis pas le sens de cette affirmation. Je suis là, debout, dans cette chambre anonyme, le cerveau vide avec, seulement, l'impression affreuse que le monde que je connais, le monde au milieu duquel je vis, s'effondre.

— Asseyez-vous, Pat. Je devine ce que vous ressentez. J'ai préféré que vous encaissiez ce choc en particulier, avec un unique témoin. Un peu de whisky ?

— Oui, merci.

Pendant qu'il prépare les boissons, je tente de recouvrer mon sang-froid. Oona en prison... Je ne peux admettre le fait... Il y a des choses qui sont possibles et d'autres pas... Oona en prison est de ces dernières... Tout et tous se liguent contre elle. Je vide mon verre d'alcool sans en prendre conscience, dans un état second.

— J'ai donné mon adresse de Dublin à Ardagh, persuadé qu'il vous la transmettrait. Je tenais à ce que la scène qui a eu lieu dans cette chambre ne se produise pas à *La Bannière de Boru*, pour éviter scandale et publicité.

— Et c'est aussi la raison pour laquelle vous ne m'avez pas averti ?

— Quand j'ai constaté que vous étiez amoureux, j'ai été effondré. Que pouvais-je faire ? Vous ne m'auriez pas cru.

— Pas plus que je ne vous crois maintenant.

— Je souhaiterais que vous ayez raison.

— Vous vous en fichez pas mal ! Vous avez exercé votre métier de flic sans rien penser, sans rien comprendre. Vous obéissez, un point c'est tout. Qu'on s'acharne sur une malheureuse fille que le sort a déjà accablée en la privant de sa jeunesse, vous laisse froid ! Même si je reste seul, je défendrai Oona jusqu'au bout !

— Impossible, mon pauvre vieux !

— Pourquoi ?

— Parce qu'Oona Donoghue n'existe pas.

— En voilà une autre !

— Votre Oona Donoghue s'appelle, en vérité, Sharon Timahoe. Elle est poursuivie pour vol et, sans doute, meurtre.

— Non, non et non !

— Restez tranquille si vous le pouvez et écoutez-moi... Sharon n'a rien à voir avec votre Oona inventée. Elle est née à Arklow, d'un couple de petits commerçants. Elle a un frère, Dave, de quelques années son aîné. Une famille plutôt pauvre que riche, pas heureuse, où les enfants vivaient dans l'insouciance naturelle à tous les enfants. Dave est parti le premier et on ne l'a plus revu. A vingt ans, Sharon s'en va à son tour à Londres où il semble qu'elle ait mené une existence rangée. Elle est une secrétaire bien notée dans les différentes maisons où elle travaille. Il y a un an, elle entre chez Simon Fenham, une grosse entreprise de travaux publics. Au bout de six mois, Sharon devient la secrétaire privée de Fenham, quinquagénaire paisible, cultivé, amateur de bonne chère. Il apprécie sa secrétaire, mais elle n'a certainement pas été sa maîtresse.

Bien qu'atrocement meurtri par ce que j'entends, je suis content d'apprendre qu'Oona-Sharon n'est pas une putain.

— Fenham, un veuf sans enfant qui mène apparemment une vie agréable, est un homme, au fond, malheureux parce que solitaire. La douceur, l'intelligence, la tenue de cette secrétaire assez exceptionnelle touchent ce gentleman qui, à ceux voulant l'écouter, ne tarit pas d'éloges au sujet de miss Timahoe au point que ses amis pensent à la possibilité d'un mariage.

— Alors, pour quelles raisons aurait-elle volé ?

— Parce qu'elle est jeune et que Fenham, physiquement, n'est pas très excitant. De plus elle a de grandes ambitions. Elle ne souhaite pas user sa jeunesse auprès d'un Fenham, mais elle veut son argent.

— Elle vous l'a confié ?

— Non.

— Dans ce cas, sur quoi vous fondez-vous pour l'accabler de cette façon ?

— Sur le dossier découlant d'une minutieuse enquête. Sharon attend son heure qui sonne un samedi où, les banques étant fermées, Fenham est obligé d'emporter, dans sa propriété du Kent, les 30 000 livres qu'on lui a apportées trop tard. Et il a la fâcheuse idée de proposer à sa secrétaire de passer le week-end chez lui, avec lui.

— Et puis ?

— Le lundi, en ne voyant pas arriver leur patron, les cadres de la « Fenham and Co » se sont inquiétés. Ne l'ayant pas trouvé dans sa demeure de Chelsea, ils se sont rendus dans sa propriété du Kent. Ils l'ont découvert, mort, le crâne fracassé. On a vite su l'histoire des 30 000 livres. On tenait le mobile du meurtre. Presque au même moment, on a remarqué l'absence de miss Timahoe. Sa logeuse, interrogée, a déclaré que la jeune femme était passée le dimanche matin, lendemain du meurtre, et qu'elle était ressortie en annonçant son départ sans fournir d'explications. Un avis de recherche a été lancé qui est demeuré sans résultat jusqu'au moment où les douanes de Fishguard ont signalé une personne ressemblant à celle dont on leur avait envoyé la photo. Dès lors, j'ai su que la fugitive se rendait en Irlande. A mon tour, je suis allé à Dublin. Puis, un coup de chance : un policier m'a montré une annonce bizarre parue le jour même et où il était question d'un patelin nommé Leenan. J'y suis parti sans trop savoir pourquoi. Ensuite, vous m'avez vu débarquer sans crier gare !

— Vous ignoriez vraiment que miss Timahoe se trouvait là ?

— Je n'ai pas pensé tout de suite que c'était elle. Pour acquérir une preuve formelle, j'ai recueilli ses empreintes digitales, le jour où nous avons dîné tous les trois à Galway.

— Le nécessaire d'argent ?

— En effet. J'ai envoyé les empreintes au Yard, de Dublin. Elles étaient celles de miss Timahoe, relevées dans la propriété de Fenham. Je suis donc allé la voir dans sa chambre. Je lui ai appris qui j'étais, que je savais qui elle était et que je comptais l'emmener dès le lendemain matin, et sans bruit, à Dublin.

— Et elle ne s'est pas souciée de moi ?

— Si, mais cela ne servait à rien.

— J'imagine que vous êtes content de vous ?

— Je n'ai pas à être content ou mécontent. J'ai rempli une tâche. C'est tout.

Qu'aurais-je pu dire d'autre ? Marcus avait raison. Flic, il s'était conduit en flic. Je n'avais pas le droit de le blâmer et pourtant, en cet instant, je le haïssais de toutes mes forces comme si la culpabilité ou l'innocence de Sharon dépendait de sa seule action.

— Elle a avoué ?

— Vous connaissez, vous, des coupables qui avouent ?

— Quelle est sa version ?

— Elle prétend avoir été réveillée par le bruit d'une chute. Sans donner de la lumière, elle a enfilé sa robe de chambre et est sortie sur le palier. Elle affirme qu'à ce moment, elle a vu la silhouette d'un homme, assez grand, avec des épaules larges et une allure jeune.

— Et ce n'est pas vrai ?

Lodge paraît embarrassé.

— Je n'ai pas de preuves qui confirment ou infirment ses dires et, dans la police criminelle, nous n'aimons pas les coïncidences.

— Ce qui ne les empêche pas d'exister.

— Sans doute... L'ennui est que seul Fenham savait qu'il emportait les 30 000 livres chez lui, ce qui rend acceptable l'hypothèse d'un voleur spécialement averti et qui, surpris par le propriétaire, le tue et disparaît sans laisser de trace. De plus, si l'on admet l'existence de cet inconnu, pourquoi n'aurait-il pas été au courant de la présence de Sharon Timahoe ?

— Qui vous dit qu'il ne l'était pas ?

— D'accord... mais si Sharon n'est pas coupable, pourquoi n'a-t-elle pas averti la police en découvrant Simon Fenham, le crâne fracassé ? et surtout, pourquoi s'est-elle enfuie, pour se cacher en Irlande ?

— La peur.

— C'est, en effet, ce qu'elle prétend. Elle assure qu'elle a été prise de panique. Ayant perdu la tête, elle ne voulait qu'une chose : mettre le plus de distance possible entre elle et le cadavre.

— Pourquoi ne pas la croire ?

— Difficile...

— Personnellement, vous la jugez coupable ?

— Mon opinion n'a aucune importance. J'avais la charge d'arrêter Sharon Timahoe, je l'ai assumée, je n'ai pas à m'occuper d'autre chose.

— Je vous admire, Lodge, de pouvoir vous désintéresser du sort immédiat d'une femme que vous avez jetée en prison. Pour moi, tant que je ne l'ai pas entendue, je réserve mon opinion.

— Vous la verrez, je vous l'ai promis... Elle doit rester à Dublin, ainsi que moi-même, jusqu'à ce que la question de l'extradition soit réglée.

En sortant du *Glengariff*, je regagne directement mon propre hôtel. Je n'ai envie de rien, ni d'aller me promener dans cette ville que, maintenant, je déteste pour ce qu'elle inflige à celle qui demeure — peu importe son nom ! — ma bien-aimée, ni de manger, ni même de boire. Etendu sur mon lit, je fume cigarette sur cigarette pour calmer mes nerfs que l'impuissance rend malades. Et d'abord, Sharon est aussi jolie qu'Oona. J'essaie d'apaiser la violence qui

154

sourd en moi et me pousse à la révolte, pour repenser à cette affreuse histoire racontée par Lodge.

Sharon dormait dans sa chambre et non dans celle de Fenham, preuve qu'elle n'était pas sa maîtresse. Un bon point, pas vrai ? Une excellente employée à qui un patron demande de mettre des dossiers à jour au cours du week-end, alors qu'ils sont, tous deux, seuls dans la vie, quoi de plus naturel quand on n'a pas mauvais esprit ? Que Sharon ait vu, dans ce tête-à-tête laborieux, une manière de se faire mieux apprécier de son patron et d'espérer une amélioration de sa situation, normal, non ? Un voleur — que la police ne semble pas beaucoup rechercher et qui appartient presque sûrement au personnel de l'usine — est au courant de la présence des 30 000 livres dans la maison du week-end. La nuit, il pénètre chez Fenham. Cependant, ainsi que nombre de pléthoriques, le propriétaire dort mal. Il entend quelque chose qui lui paraît bizarre. Il se lève et surprend l'intrus au travail et celui-ci le tue parce qu'il a été reconnu. Quand Sharon se réveille et qu'elle a, sous les yeux, l'horrible spectacle de son patron, le crâne défoncé, lorsqu'elle se rend compte qu'on l'a cambriolé, elle prend peur et se sauve. Quelle femme, à sa place, n'aurait agi de la même façon ? Elle est tellement effrayée à la perspective d'être accusée de meurtre que sa chambre ne lui apparaît plus comme un refuge, mais comme un piège où les policiers viendront la cueillir. Alors, elle fuit et monte, à Victoria Station, dans le premier train susceptible de l'emmener le plus loin possible. Il la transporte jusque sur les bords de la mer d'Irlande. De là, passer en Eire n'a été qu'un jeu, surtout un dimanche, en se mêlant aux touristes d'un jour. Je ne saisis pas pourquoi Lodge n'a pas compris... à moins qu'il n'ait pas voulu comprendre ? Le Yard avait une excellente suspecte et ne tenait pas à se fatiguer davantage.

Marcus s'est imaginé que j'épouserais son point de vue sous prétexte que Sharon m'a menti sur son nom, sur son passé, sur son présent. Et alors ? N'y était-elle pas obligée ? Pareille à toutes celles qui ont affaire, pour la première fois, avec la justice, elle s'est figuré que le monde entier la pourchasserait. Elle ignorait ce que je représentais et elle s'est dissimulée sous un faux nom, en inventant une histoire dont elle se voulait l'héroïne. Et puis, il y a deux choses que Lodge oublie : lui aussi a truqué son état civil et moi, j'ai menti quant à mon métier. Elle m'aimait et cet amour, j'en découvre la preuve dans le jeu qu'elle m'a joué touchant son indécision au sujet de notre mariage. Elle ne pouvait, d'une part, me confier ce qui la menaçait de peur de me perdre et, d'autre part, elle ne souhaitait pas m'entraîner, le cas échéant, dans sa chute.

En abandonnant mon lit, je suis résolu à vivre avec Sharon le grand amour promis. Je la sauverai, quoi qu'il doive m'en coûter, quoi que je doive être contraint d'entreprendre.

La nuit est tombée. A travers ma fenêtre, je contemple le halo discret des lumières électriques de la rue, perdues dans le brouillard qui met de longues coulées d'eau sur mes vitres. Je pense à ma pauvre Sharon dans le froid de sa cellule et qui n'a, pour toute distraction, que le pas lourd des gardiens effectuant leur ronde. Songe-t-elle aux heures que nous avons vécues ensemble ? A-t-elle mal pour moi comme j'ai mal pour elle ? Et puis, j'en ai assez ! Je ne peux demeurer là, dans cette chambre, alors qu'elle... Je me lève et je sors. A la réception, je demande qu'on m'appelle un taxi. Si j'avais eu le cœur à rire, la tête du chauffeur m'aurait amusé quand je lui ai annoncé en m'asseyant sur la banquette arrière :

— A la prison !

— Pardon ?

— A la prison. Vous savez, là où l'on enferme les criminels ?

— Ah !... à la prison...

— Tout juste.

— Si c'est pour une visite, l'heure est passée.

Il démarre.

— Ce n'est pas pour une visite.

Il roule un moment en silence, puis :

— Vous êtes de l'administration ?

— Non.

Mon laconisme ne le rebute pas.

— Parce que, hein, c'est guère un but de promenade !

— Je m'en doute.

— Est-ce que je devrai vous attendre ?

— Oui.

— Donc, vous resterez pas longtemps ?

— Non.

Ce coup-là, devant mon mutisme, il se tait. Au bout d'une quinzaine de minutes, nous arrivons à destination. Une rue éclairée par des lampadaires puissants avec, à gauche, une énorme bâtisse aux fenêtres étroites. Sharon se repose ou pleure dans une de ces cellules au regard aveugle. Je voudrais pouvoir lui crier qu'elle dorme en paix, qu'elle n'a plus rien à craindre puisque je suis là. Sharon, mon pauvre amour... J'ai confiance en vous et l'opinion des autres ne nous intéresse pas. Je les forcerai à reconnaître leur erreur. Ayez confiance, Sharon, je veille sur vous.

Je devine le chauffeur qui m'épie à travers le pare-brise. Il doit s'interroger sur ce que je fabrique. Il ne semble pas rassuré quand je reviens vers lui.

— On retourne à l'hôtel où vous m'avez pris.

Il est soulagé. Je le comprends à la manière dont il débraie.

Le lendemain matin, je tire Marcus de son lit. Il n'est pas content et grogne :

— Mais, bon Dieu ! vous savez l'heure qu'il est ?

— Je sais surtout qu'il y en a une pour qui, dans sa cellule, les heures coulent plus lentement !

— Vous n'allez pas remettre ça !

— Non, rassurez-vous... Je veux seulement vous poser une question : êtes-vous contre Sharon au point de ne pas vouloir qu'elle se sorte d'affaire ?

— Moi ? Jamais de la vie ! Trouvez un moyen légal de l'arracher au pétrin où elle s'est fourrée et je vous applaudirai.

— Je vous crois et c'est pourquoi je souhaiterais que vous me dénichiez un avocat avec qui je pourrais discuter la question.

— Un avocat ? Mon pauvre ami, vous perdrez votre temps et votre argent. N'oubliez pas que les Irlandais ne font qu'héberger Sharon en attendant qu'arrive la réponse gouvernementale à l'extradition. Elle est prisonnière des Anglais. Un avocat d'ici ne peut rien pour vous.

— Je ne lui réclamerai qu'un conseil.

— Ma foi, si le cœur vous en dit de gaspiller vos dollars... Je me renseigne et je vous rappelle.

Pendant que j'avale le breakfast que je me suis fait servir dans ma chambre, je me répète qu'il y a toujours quelque chose à tenter quand on le veut vraiment. Je me propose de montrer aux Anglais que lorsqu'un Irlando-Américain entend atteindre un but fixé, nul ne saurait l'en empêcher.

Marcus me téléphone au moment où je mange de la confiture d'oranges.

— J'ai peut-être ce qu'il vous faut, un avocat très calé en droit international... Peter Killconell, 32 Leitrim Street.

Secoué par une impatience difficilement maîtrisée, j'ai de la peine à attendre une heure décente pour appeler Me Killconell dont Lodge m'a transmis le numéro de téléphone. Ce seigneur du barreau témoigne d'une courtoisie parfaite et offre de me recevoir vers onze heures. Je suis un peu surpris de la réussite facile de ma démarche. Il faut admettre que les avocats de Dublin sont moins occupés que leurs confrères londoniens. J'annonce à Marcus ma rencontre prochaine avec le juriste qu'il m'a recommandé. Il me propose de le rejoindre à midi, au bar du *Glengariff*. En dépit de ce qu'il a infligé à Sharon je continue, à mon corps défendant, de garder confiance en lui.

J'arrive à Leitrim Street en avance. Me Killconell habite une de ces gentilles maisons du XVIIIe siècle, peinte en vert d'eau. Elle a une porte épaisse à la patine inspirant le respect et ornée de motifs de cuivre du plus bel effet. Une dame sévère, tant dans son ton que dans sa tenue, m'introduit dans un salon d'attente où tout me donne l'impression d'être un gentleman de l'époque de Dickens. Au mur, des reproductions de Reynolds et de Constable. Un décor qui inspire la confiance et affirme que le maître des lieux n'en est pas à une livre près. La rigide gouvernante vient me chercher et m'invite à entrer dans un bureau solennel aux meubles importants. Un sexagénaire, vêtu de sombre, se lève pour me recevoir. Sa politesse est d'un autre temps.

— Que puis-je pour vous, sir ?

J'expose mon histoire le plus brièvement et le plus clairement possible. Me Killconell, les mains ramenées sur la poitrine, la tête baissée, m'écoute sans m'interrompre. Quand j'ai terminé, l'avocat relève le front, se gratte la gorge et remarque d'une voix étonnamment claire :

— Une vilaine affaire, sir...

— Si le problème n'était pas aussi ardu, je ne serais pas venu déranger un homme de votre qualité.

Il accepte le compliment sans la moindre gêne, comme une chose due.

— Naturellement, nous tenons miss Timahoe pour innocente.

— Elle l'est !

— Il est entendu que miss Timahoe, n'étant accusée d'aucun délit en Eire, ne saurait être poursuivie par nos tribunaux. Tout se joue sur le refus ou l'acceptation, par notre gouvernement, de la demande d'extradition formulée par Londres.

— Croyez-vous qu'on puisse espérer un refus ?

— Pourquoi pas ? Elle n'est que suspectée de meurtre ou de vol. Si l'accusation ne peut s'étayer sur des preuves solides — et, il ne me semble pas que ce soit le cas, en ce moment — Dublin risque de s'opposer au départ forcé de miss Timahoe en Grande-Bretagne. Evidemment, si le Yard avait retrouvé l'argent de Mr Fenham, la situation s'éclaircirait d'un coup.

— Le Yard, en accusant et poursuivant Sharon, a facilité la fuite du meurtrier et il y a des chances pour qu'on ne remette jamais la main sur les 30 000 livres.

— Qui sait ? Vous comprenez que, personnellement, je ne peux rien tenter pour miss Timahoe. Le
plus sage est d'attendre et nous n'entrerons en action
— si possible — que lorsque nous saurons si l'extradition a ou non une chance d'être accordée. Nous
nous reverrons donc sûrement, Mr Mulcahy.

En sortant de chez l'avocat, je me dirige vers l'hôtel où j'ai rendez-vous avec Lodge. Je passe devant
une église dont j'ignore le nom. Sans réfléchir, j'y
pénètre et, poussé par un élan atavique, je m'age-
nouille au pied de la statue de saint Patrick. Je le
supplie avec une ferveur dont je ne me croyais plus
capable, de sauver Sharon en ne permettant pas
l'extradition.

Marcus guettait ma venue en sirotant un gin-
tonic. Je lui conte, par le menu, ma conversation
avec Me Killconell. Il paraît intéressé et lorsque j'ai
terminé, il me dit :

— Pat, je veux que vous vous persuadiez de ma
sincérité. Comme je l'ai déjà souligné, j'ai rempli la
mission dont j'étais chargé en retrouvant et en arrê-
tant Sharon Timahoe. Ce n'est pas moi qui ai mené
l'enquête dans l'affaire Fenham. Je ne nourris aucune animosité particulière envers votre amie et, à
cause de vous, je souhaite — si elle n'est pas coupable — qu'elle s'en tire et vous rejoigne.

— Merci.

— Ainsi que je vous l'ai promis, vous viendrez
avec moi à la prison. J'ai demandé et obtenu un droit
de visite pour vous, en mentant quelque peu et en
vous présentant comme le conseiller juridique qu'elle
a réclamé. Sur ce, allons déjeuner.

Je mange du bout des dents, peu attentif aux
propos de mon hôte, l'esprit tout entier occupé par
ma proche rencontre avec Sharon.

Mon cœur bat fort lorsque la voiture de la police nous dépose devant la prison. Je porte une serviette, pour ressembler davantage à un homme de loi. C'est dans un état fébrile que je subis les formalités auxquelles Marcus et moi devons nous soumettre, y compris la fouille de ma serviette. A la suite de Lodge et d'une gardienne, je parcours de longs couloirs sonores. Le bruit de nos pas résonne en moi à la façon d'un glas. Au fur et à mesure que nous progressons et que nous approchons de la cellule où Sharon est enfermée, mes jambes flageolent. Brusquement, la gardienne s'arrête, regarde à travers un judas, se recule et introduit une clé dans la serrure. Je tremble d'angoisse. Quand la porte s'ouvre lentement, je ferme les yeux. On me pousse dans le dos et j'entends Marcus qui me prévient :

— Quand vous aurez fini de vous entretenir avec votre cliente, maître, vous n'aurez qu'à frapper à la porte. A tout à l'heure.

On referme et j'écoute les pas décroître. Je relève les paupières. Elle est là, devant moi, dans la petite robe qu'elle portait la dernière fois que je l'ai vue. Nous nous regardons sans un mot et puis je murmure :

— Oona...

Elle secoue la tête, pleure :

— Il n'y a pas de...

— Chut ! Pour moi, il y aura toujours une Oona, même si, aujourd'hui, elle s'appelle Sharon.

— Vous savez tout, n'est-ce pas ?

— Je ne crois rien de ce qu'ils racontent, je ne crois qu'en vous, mon amour...

— Oh ! Patrick !

Elle se jette sur ma poitrine et je l'enserre de mes deux bras. Je chuchote :

162

— Chérie... Je vous sortirai de là, je vous le promets.

Elle sanglote.

— Ils sont tous contre moi...

— Pas tous...

Notre étreinte dure longtemps, puis je l'écarte de moi, la prends par les mains comme si nous nous apprêtions à danser un pas ancien, et je la regarde. C'est bien mon Oona des rochers de la baie de Killary. Elle me sourit timidement :

— Vous m'en voulez beaucoup ?

— Non, mais j'aimerais comprendre.

— Je vais tout vous expliquer et j'espère que vous, vous ne ricanerez pas.

— Vous savez bien que j'ai et que j'aurai toujours confiance en vous, quoi qu'on dise, quoi que vous me disiez.

— Mon cher Patrick...

Maintenant, elle paraît presque heureuse.

— Il faut que je vous expose comment tout cela s'est passé. Il est vrai que je suis née dans une famille pauvre, moins pauvre que je ne vous l'avais laissé entendre, et que j'ai eu une enfance difficile. Je n'étais pas fille unique. J'avais un frère qui a quitté la maison vers sa vingtième année. Mon père est mort avant ma majorité et, avec ma mère, nous avons eu beaucoup de mal à subsister jusqu'au jour où j'ai trouvé un emploi. Ma mère a disparu au bout de quelques mois de vie commune. A cette époque, je me sentais fort déprimée, lorsque je fus engagée chez Fenham.

— Vous avez pensé alors que c'était une chance ?

— Sûrement. Je gagnais cinquante pour cent de plus que dans mon ancienne place.

— Pourquoi ?

— Parce que j'ai eu l'occasion de succéder à la secrétaire du patron, après examen, naturellement. Avec ce coup de veine, l'ambition m'était venue de gagner mieux mon existence pour vivre plus largement que je ne l'avais pu jusqu'ici. Je fis du zèle tant et tant que, peu à peu, Mr Fenham me remarqua. Quand je lui portais son courrier, il bavardait un instant avec moi car il était très seul et en souffrait. N'ayant plus de femme, pas d'enfants, son entreprise demeurait la seule chose à laquelle il se raccrochait. Son unique plaisir : la gastronomie et sa cave qu'il entretenait avec amour. J'avais de l'affection pour lui parce qu'il n'était pas heureux et parce qu'il me semblait trouver, à ses côtés, un peu de cette tendresse paternelle qui m'avait manqué.

J'écoutais Sharon, me demandant comment elle allait s'y prendre pour m'avouer qu'elle était la maîtresse de Fenham. Paraissant avoir deviné la question que je me posais, elle poursuivit :

— Lorsqu'il m'a invitée à passer le week-end dans sa propriété du Kent, je n'ai eu aucun scrupule à accepter car il n'y avait jamais eu quoi que ce soit de trouble entre nous. Il me considérait comme la fille qu'il aurait pu avoir si sa femme n'était pas morte si tôt. Je sais que la police est persuadée que j'étais la maîtresse de Fenham. Un mensonge, mais ces gens-là sont tellement habitués aux voyous et canailles de toutes sortes qu'il doit leur paraître impossible qu'on puisse rester propre.

Je ne peux me retenir d'embrasser Sharon pour la remercier de ne pas ressembler aux autres.

— Pour entraîner mon acceptation, Fenham avait ajouté : « Je suis obligé d'emporter une grosse somme que je ne saurais laisser au bureau jusqu'à lundi, nous serons deux pour la garder. » Le soir du vendredi, j'ai préparé un repas froid que nous avons mangé en tête à tête dans le living où il tenait son argent enfermé dans un secrétaire. Nous avons regardé la télévision et, à 11 heures, je suis montée me coucher. Sans doute, connaissez-vous la suite ?

— Telle que Lodge me l'a racontée, du moins : le choc qui vous réveille, l'homme que vous voyez se sauver et votre fuite.

— J'ai eu peur. Surtout quand je me suis rendu compte que le secrétaire avait été fracturé. J'étais certaine qu'on m'accuserait de vol et, par conséquent, de meurtre. Je ne me suis, malheureusement, pas trompée. Alors, je suis partie n'importe où, le plus vite possible.

— Pour quelles raisons, à Leenan ?

— Le hasard.

— Etait-il nécessaire de me jouer la comédie que vous m'avez jouée ?

— Je me cachais sous une fausse identité et j'ignorais qui vous étiez. Vous aussi, Pat, vous m'avez menti en me présentant votre soi-disant voyageur d'une maison de textile de Manchester.

— Je ne savais rien de la mission de Lodge. Simplement, je craignais que son métier révélé ne vous braquât contre lui. J'étais si loin de me douter... J'avais une confiance si totale en lui et en vous ! Comment aurais-je deviné que, sous mes yeux, vous jouiez tous deux une partie à laquelle je n'étais pas convié ?

— Je risque de payer cher le sentiment que vous m'avez inspiré, mais j'éprouvais un tel besoin d'être rassurée, protégée...

— Comptez sur moi, Sharon chérie. Je ne les laisserai pas vous emmener !

Elle m'effleure le visage de ses doigts.

— Mon pauvre Patrick, que pourrez-vous tenter contre la loi et la police ?

— Je ne sais pas encore.

— Croyez-vous vraiment que je sois en droit d'espérer le refus de l'extradition ?

— Il faut toujours espérer.

— S'ils me ramènent à Londres, je serai perdue. Tout est contre moi. De quelle façon apporter la preuve que je n'étais pas la maîtresse de Simon Fenham, que je ne l'ai pas tué pour le voler ? Inutile de nourrir de vaines illusions : si je retourne en Angleterre je finirai ma vie en prison et, cela, je ne l'accepte pas, je ne le veux pas !

Elle a presque crié ces derniers mots et, aussitôt, on entend le pas précipité de la gardienne. Je m'éloigne brusquement de la prisonnière et lorsque la surveillante entrouvre la porte en me posant la question rituelle :

— Tout va bien, maître ?

Je la rassure :

— Oui, oui... j'en ai encore pour quelques minutes.

Elle referme et nous laisse de nouveau seuls.

— Excusez-moi, Pat... J'ai tellement peur, qu'il m'arrive de ne plus pouvoir maîtriser mes nerfs.

— Vous ne serez pas extradée !

— Si je le suis, ils ne m'emmèneront pas et, c'est moi, cette fois, qui vous le jure !

— Que ferez-vous que je ne puisse faire, ma chérie ?

— Je me tuerai.

Sharon a parlé avec une telle résolution que je ne doute pas un instant qu'elle se tuera. Je ne sais quoi répondre. Sottement, alors qu'elle souhaite d'autres secours plus immédiats, je lui raconte que je suis allé prier pour elle. Les larmes lui montent aux yeux et elle m'embrasse doucement.

— Pat, j'ai encore quelque chose à vous avouer. Je désire que, plus tard, vous puissiez penser à moi sans être gêné par quoi que ce soit... Cette terrible aventure où je suis perdue n'a eu qu'un seul côté positif. Vous vous souvenez de ce que je vous ai dit à propos de mon frère Dave, parti de la maison familiale et qui, jamais, n'avait donné de ses nouvelles ?

— Oui et alors ?

— Pendant que je me débattais avec ma mère d'abord, seule ensuite, Dave vivait aux Etats-Unis, très exactement dans le Vermont où il est, présentement, à la tête d'une petite usine de conserves de crustacés et de poissons qui marche très bien.

Je me demande où elle veut en venir.

— Mon frère a su, j'ignore de quelle façon, ce qui m'accablait. Il a sauté dans un avion et a débarqué à Londres deux jours après mon départ. Il s'est rendu chez Fenham où il a eu mon adresse. Il s'est rappelé que, petite, j'affirmais que lorsque je serais grande, je continuerais à habiter l'Irlande, le seul pays où l'on peut rencontrer des fées. Suivant son inspiration, il a gagné Dublin et, plusieurs jours de suite, il a fait paraître une annonce : *Dave voudrait retrouver l'enfant persuadée que l'Eire est le pays des fées.* J'ai répondu : *L'enfant attend à Leenan.* C'est l'homme avec qui vous m'avez aperçue sur le rivage de la baie de Killary. Nous étions convenus de nous retrouver dans les huit jours. Hélas ! Marcus Lodge est apparu trop tôt sous son vrai visage. Maintenant, je sais que je ne verrai pas le Vermont.

J'ai embrassé Sharon avec toute la force de ma tendresse avant de la quitter.

Dublin ne passe pas pour une ville gaie, mais ce soir-là, elle me parut sinistre.

Si seulement elle avait eu confiance quand elle avait compris que je l'aimais et qu'elle avait, elle-même, pris conscience de la tendresse qu'elle me portait. Mais, elle n'avait pas osé. Sans doute n'était-elle pas assez sûre de moi. Et maintenant, voilà où nous en étions ! Quant à ce frère, qui refait brusquement surface, il ne m'inspire qu'une confiance limitée. Et puis, que pourrait-il tenter que je ne sois capable d'essayer ?

Je tourne et retourne dans mon esprit ce problème sans parvenir à une solution. Il n'est pas question de dormir quand ma pauvre Sharon ne peut trouver le repos, torturée par l'angoisse. J'échafaude des tas de projets tous plus absurdes les uns que les autres. Aucun ne résiste à un examen sérieux. Je m'affale sur mon lit aux premières lueurs de l'aube et je m'endors d'un sommeil dont je suis tiré vers neuf heures par un appel téléphonique de Marcus.

— Allô, Pat ?

— Oui, que se passe-t-il ?

— Une mauvaise nouvelle, mon vieux, l'extradition va être accordée.

— Quand ?

— Au plus tard, en fin d'après-midi.

— Il n'y a donc plus rien à espérer ?

— Je le crains.

— Je vais quand même me rendre chez Me Killconell.

— Mon amitié vous accompagne, Pat.

Je dois résister à l'impulsion qui me pousse à courir à la prison pour essayer de consoler Sharon mais le temps m'est trop mesuré. Il me faut parer au plus pressé. Je bâcle une toilette hâtive et me précipite vers l'étude de Me Killconell. L'avocat me reçoit avec moins d'amabilité que précédemment. Je lui ai troublé son breakfast. Il s'enquiert :

— Du nouveau ?

— L'extradition est accordée.

— Ah !... C'était à craindre. Qu'espérez-vous de moi ?

— Que vous m'aidiez, ainsi que vous me l'avez promis.

— Miss Timahoe, par la décision qui vient d'être prise, passe sous la juridiction britannique.

— Que me conseillez-vous ?

— De rentrer chez vous, Mr Mulcahy, et d'oublier miss Timahoe.

— Jamais !

— Alors, alertez un de mes confrères londoniens et remettez-vous-en à la justice de la Reine.

J'abandonne la place sur un merci très sec et me réfugie dans un bar. Après trois whiskies, je décide que le mieux est de tâcher de joindre Marcus qui est seul à me comprendre. Mais Marcus est introuvable et je retourne à ma chambre d'hôtel, enragé de mon impuissance à secourir celle que j'aime. Vers 4 heures, je réussis enfin à atteindre Lodge. Il me répond sur un ton des plus rogues.

— Qu'est-ce que vous voulez ?

— Voir Sharon.

— Impossible !

— Pourquoi ?

— Je vous attends au *Glengariff*, je vous expliquerai si vous n'êtes pas au courant, déjà.

— Au courant ? De l'extradition ?

— Venez !

Il raccroche.

En pénétrant dans ce lac de quiétude qu'est le hall du *Glengariff* en ce milieu d'après-midi, j'ai l'impression d'entrer dans un autre monde, un monde d'où la violence est exclue. Tout ici est propre, ordonné. On y parle d'une voix feutrée, un geste un peu vif y paraîtrait grossier. J'ai envie de hurler :

— Vous ronronnez paisiblement, fiers de votre santé, de vos réussites, de vos amours, de vos familles et pendant ce temps, une innocente va être condamnée à la prison à perpétuité ! A perpétuité ! Vous saisissez ce que cela signifie ? Comme si l'on emmurait une vivante !

C'eût été idiot ! Ces types qui me côtoient n'auraient pas compris. De plus, en quoi le sort d'une pauvre fille, victime d'une erreur judiciaire, les intéresserait-il ?

Quand il m'ouvre la porte, Marcus a sa figure des mauvais jours. Il ne perd pas son temps en politesses inutiles.

— Entrez !

A peine a-t-il refermé la porte qu'il me regarde.

— Alors ?

— C'est à moi de vous demander : alors ? Pour quelles raisons ne voulez-vous plus que j'aille parler à Sharon ?

— Je vous répète que ce n'est plus possible.

— Parce que ?

— Parce qu'elle a fichu le camp ! éclate-t-il.

Pendant quelques secondes, je reste coi ; mais, très vite, une joie énorme m'envahit. Elle n'est plus en prison ! Elle est libre ! Merci, mon Dieu ! A ma mine, Marcus devine ce que je ressens et il s'emporte.

— Ça vous fait plaisir, hein ? Vous vous imaginez

que vous allez pouvoir la rejoindre et filer, tous deux, le parfait amour ?

— Si on le peut...

— Vous ne le pourrez pas !

— C'est vous qui nous en empêcherez ?

— Et comment ! moi et toute la police irlandaise ! On va déclencher une sacrée chasse !

— Cela a vraiment l'air de vous plaire.

— Je n'aime pas qu'on se moque de moi, en particulier, et des flics, en général !

Je ne saurais le blâmer et ma courte euphorie s'envole sous le coup de la menace pesant sur Sharon.

— Ce dont je voudrais être certain, Pat, c'est que vous n'êtes pour rien dans cette évasion.

— Moi ? Je ne savais même pas que...

— Pas de discours ! votre parole ?

— Je vous la donne.

— Ouf ! j'aime mieux ça... Je n'ignore pas, ami, que vous êtes fermé à tout conseil, mais je vous en prie : ne vous mêlez plus de cette histoire, vous risqueriez trop gros ! Enfin, bon Dieu ! vous êtes encore un flic et donc au courant de ce que peut rapporter une complicité dans l'évasion d'une meurtrière !

— Merci du conseil. Avez-vous une idée de l'endroit où elle se cache ?

— Non. D'ailleurs, si je le savais, je ne vous le dirais pas !

Nous commençons à nous regarder d'un air hostile.

— J'espère que, cette fois, Pat, vous admettez sa culpabilité ?

— Qu'est-ce qui m'aurait fait changer d'avis ?

— Elle a pris la fuite, nom de Dieu !

— Parce qu'elle se sentait perdue entre les griffes d'une justice qui ne se soucie guère de briser l'existence d'une innocente !

— Vous devenez fou, ma parole !

Je ricane, d'une manière que je veux insolente.

— Evidemment, ce n'est pas vous qui en conviendrez !

— Vous feriez mieux de vous retirer, Pat.

— Sitôt que vous m'aurez raconté de quelle manière elle s'y est prise.

— Je ne vois pas pourquoi... je... Oh ! et puis, si cela doit me débarrasser de vous avant que je ne perde patience... Peu après votre départ, elle s'est prétendue malade. Des douleurs dans le ventre. On l'a emmenée à l'infirmerie. Un méchant hasard a voulu que l'infirmière-chef, une femme énergique, soit absente, si bien que le personnel a moins respecté le règlement et l'horaire que si elle avait été là. Vers midi 45, une jeune infirmière était seule de service dans la salle où miss Timahoe était l'unique malade. Il semblerait, d'après les premiers rapports, qu'à cette heure-là, une autre infirmière encore, nurse Cloghy, venue de l'hôpital St. Jérôme proche, se soit présentée pour donner un coup de main à sa collègue débutante, sur ordre de l'infirmière-chef. Vingt minutes plus tard, la visiteuse ressortait, en compagnie de la débutante dont nul ne connaissait bien le visage, la raccompagnant jusqu'sur le trottoir. En réalité, il s'agissait de miss Timahoe et d'une complice car il n'y a pas de nurse Cloghy dans le personnel de l'hôpital St. Jérôme. On a retrouvé la petite nurse en slip et soutien-gorge, ficelée et bâillonnée dans les toilettes. Donc, une évasion parfaitement préparée. Comment ? Par qui ? Il est vraisemblable qu'un ou une employée de la prison a été acheté

172

pour glisser un billet à la prisonnière, lui indiquant la marche à suivre.

— En somme, on s'évade aussi facilement des prisons irlandaises que des prisons anglaises ?

— Moquez-vous tant que vous en avez le loisir, Patrick, parce que je vous jure qu'avec mes collègues d'ici, je vais flanquer le pays sens dessus dessous. Déjà, les gares, les ports, les aérodromes sont alertés. Miss Timahoe ne peut sortir d'Irlande et je vous fiche mon billet que c'est moi qui l'arrêterai et l'emmènerai à Londres ! J'admets que vous n'ayez pas pris part, d'une façon ou d'une autre, à sa fuite et je souligne, en passant, que miss Timahoe n'a pas tellement confiance en vous, puisqu'elle ne vous a pas prévenu.

— Sans doute redoutait-elle ce qui a lieu, en ce moment, dans cette chambre ?

— Soit... Si elle prend contact avec vous, alerterez-vous nos services ?

— Non.

— Vous prenez parfaitement conscience de ce que votre attitude a d'illégal et que vous trahissez le serment que vous avez prêté en entrant à la C.I.A. ?

Je ne réponds pas tout de suite. Je commence par me lever lentement, puis :

— Gardez vos leçons de morale, Lodge. Je n'appartiens plus à la C.I.A. ni moralement ni physiquement. Alors, je ne vois pas pourquoi je vous aiderais à arrêter une femme que je crois innocente et que j'aime, de surcroît. Il faut vous faire une raison, Mr Lodge, nous ne sommes plus dans le même camp.

— S'il en est ainsi, ne venez pas vous plaindre de ce qui risque de vous arriver et surtout, ne vous amusez pas à me rappeler que je vous dois la vie.

— Ma maman m'a appris à ne jamais réclamer

mon dû à celui qui ne voulait ou ne pouvait payer sa dette.

Nous nous sommes quittés sans nous serrer la main.

Ayant acheté du pain, du jambon, du fromage et du whisky, je m'installe dans le fauteuil que j'ai amené près du téléphone, et j'attends.

Il y a, maintenant, trois heures que j'attends. Il va être 9 heures. Au fur et à mesure que le temps passe, mon moral fléchit. En dépit de ma volonté, les paroles de Marcus encombrent ma mémoire et, peu à peu, je prends ses arguments en considération. Pourquoi ne m'a-t-elle pas fait part du plan ourdi avec son frère, car je me doute que c'est Dave — dont elle m'a révélé la présence en Irlande — qui a tout organisé. Mais pour quelles raisons m'ont-ils tenu à l'écart ? Ainsi qu'à chaque fois où je suis déprimé, ma pensée retourne à Mayoworth, à sa paix et, comme toujours, dans ces moments-là, l'ombre de Rosemary plane sur mes cogitations moroses. J'ai de plus en plus de difficultés à repousser une présence pourtant immatérielle, mais qui me devient remords pesant.

Je m'enfonce dans le pessimisme le plus sombre lorsque à 10 heures, la sonnerie du téléphone m'arrache brutalement à mon mélancolique engourdissement. Je décroche en hâte.

— Allô ?

— Mulcahy ?

— Oui.

— A 10 heures demain matin, sur le troisième banc près de la porte Nord de St. Stephen's Green. Arrangez-vous pour ne pas être suivi...

CHAPITRE V

Contrairement à ce que je redoutais, je passai une nuit excellente. La certitude de revoir très vite Sharon, l'assurance qu'elle ne m'oubliait pas m'avaient apporté une quiétude et un réconfort qui m'avaient rendu à moi-même. Je mangeai d'excellent appétit un breakfast copieux. Je prévoyais, en effet, que j'allais devoir fournir des efforts sérieux dans les jours à venir. Je dois reconnaître que la colère froide de Marcus Lodge — bien que je me fusse efforcé de n'en rien laisser paraître — m'avait impressionné. Pas besoin de me raconter des histoires, ce serait un rude adversaire. Il faudrait, pour nous en sortir — elle et moi — me rappeler tout ce que l'on m'avait appris à la C.I.A. Seulement, cette fois, je serais le gibier. J'estimai que cela n'avait aucune importance tant j'étais convaincu de gagner la partie. Cette conviction tenait essentiellement à la présence promise de ma bien-aimée.

Presque tout de suite, en quittant l'hôtel, je l'aperçois. L'allure d'un brave homme n'ayant d'autre souci que de prendre connaissance des dernières nouvelles que lui apporte son journal, à cela près qu'il n'est pas courant, pour une personne ayant dépassé la quarantaine, de lire son quotidien le dos et un pied appuyés au mur de la maison d'en face. Marcus n'a pas perdu de temps, mais à regarder l'échantillon de suiveur qu'il m'a expédié, je conclus que la police criminelle irlandaise n'est pas très forte ou que Lodge me sous-estime.

Sitôt que je m'écarte de l'entrée de l'hôtel, l'autre m'emboîte le pas, d'un air si désinvolte et si peu naturel que j'aurais envie de rire si je ne pensais pas aux épreuves qui nous guettent, Sharon et moi. Ce n'est qu'un jeu de semer le policier collé à mes pas. Un ou deux grands magasins me servent de pièges et à l'heure indiquée, j'entre dans St. Stephen's Green et me dirige vers l'endroit du rendez-vous. Du premier coup d'œil, je le reconnais. C'est l'homme que j'avais observé auprès de Sharon dans la baie de Killary. Je m'assieds à côté de lui, sans qu'il esquisse le moindre mouvement. Il a les coudes sur les genoux et la tête dans les mains. Il fixe le sol. Au bout de deux ou trois minutes, il se redresse, prend un livre dans sa poche, l'ouvre et, à la manière d'un acteur lisant à mi-voix, il remue les lèvres sans qu'aucun son ne sorte. Soudain, j'entends :

— Pas été suivi ?

— Non.

— Sûr ?

— Sûr.

Encore un silence, puis :

— C'est moi, Dave.

— Je sais.

— Vous aimez vraiment ma sœur ?

— Vraiment.

— Vous ferez n'importe quoi pour la sauver ?

— N'importe quoi.

— Bon. Je vais poser mon livre entre nous. Vous le prendrez quand je serai parti. Vous y trouverez deux billets d'autocar pour Killarney. Soyez à 8 heures demain matin au point de départ qui est indiqué. Sharon vous y attendra. Elle a ses instructions. Ne soyez pas surpris, en la rencontrant : elle est devenue brune et porte des lunettes. Vous allez vous payer un joli voyage, mais prenez garde aux flics. Ne les méprisez pas. Ils sont beaucoup plus forts qu'on ne le pense généralement.

Sur ce, il se lève et s'éloigne.

La perspective de partir, seul, avec Sharon m'emplit d'une sorte de frénésie joyeuse. A mon tour, j'abandonne le banc où j'étais assis et pars flâner à travers la ville en visitant quelques pubs sur mon passage. J'ai le plaisir, en réintégrant mon gîte, de constater que mon suiveur est revenu monter sa garde obstinée. Je me retiens pour ne pas lui adresser un petit salut amical. A l'heure du repas, avec le policier sur mes talons, je m'offre un excellent lunch, dans un restaurant réputé de Grafton Street. A 10 heures, je rentre chez moi. Je prépare ma valise, je téléphone à la réception, pour qu'on me monte ma note. Le garçon qui me l'apporte a l'air déluré. Je lui raconte que je suis obligé de filer discrètement, ma femme ayant mis un détective à mes trousses. Un billet de cinq livres lui excite l'esprit, et lorsqu'il a donné au concierge ce que je dois, il remonte et me guide jusqu'à une porte de service débouchant sur une ruelle. Je n'ai plus qu'à me diriger vers le boulevard qui est à deux pas, à héler le premier taxi rencontré et à lui demander de me conduire à l'hôtel le plus proche du départ de mon autocar. Je m'endors paisiblement, en songeant avec attendrissement au pauvre type qui va passer la nuit à surveiller l'endroit où je ne suis plus.

Il me paraît — le lendemain matin — que les

heures me séparant de l'instant où je pourrai prendre Sharon dans mes bras comptent beaucoup plus que soixante minutes. Enfin, le moment vient. Je pars, ma valise à la main et, sans hâter le pas, en voyageur qui a le temps, je rejoins l'endroit que Dave m'a indiqué. Il ne me plaît pas beaucoup, ce garçon, mais c'est sa sœur que j'épouse et pas lui. J'enregistre mon bagage pour Killarney et j'attends l'arrivée des autres pour me mêler à eux. A 8 h 30, tout commence à se mettre en place. A 8 h 45, je me réfugie parmi ces hommes et ces femmes s'impatientant devant le car aux portes fermées. A travers les vitres, on voit le chauffeur se livrer à on ne sait quels préparatifs exécutés avec une lenteur quasi provocante. Je m'inquiète de ne pas voir Sharon et j'ai le sentiment qu'un vieux gentleman vêtu de façon assez excentrique me surveille. Je sais bien que c'est stupide : un policier qui file quelqu'un s'efforce de passer inaperçu et donc se vêt de façon banale. De plus, cet individu a sûrement dépassé l'âge de la retraite. Autour de moi, on se fige lorsque le chauffeur, ayant ouvert la porte de son véhicule, se met à appeler les numéros des billets. Sharon n'est toujours pas là. A l'idée que Marcus ait pu l'arrêter, mon cœur bat la chamade. La voix sonore du conducteur égrène les numéros sur nos têtes. Quand il lance le mien, je ne sais plus que décider, mais une voix claire répond : « Voilà ! » et presque aussitôt, une jeune femme m'attrape par le bras en chuchotant :

— Excusez-moi, chéri, d'être en retard.

Sans me laisser le temps de répondre, elle m'entraîne vers le véhicule. Nous y montons et nous installons aux places portant nos numéros. Je suis tellement heureux que je n'arrive pas à exprimer ma joie.

— Alors, Charles, ça va ?

Je balbutie :

— Heu !... oui... bien sûr, puisque nous sommes ensemble.

— Figurez-vous que vous aviez oublié de prendre les passeports au cas où nous voudrions nous offrir une promenade en France. Heureusement que votre petite femme y a pensé !

Ma petite femme... Elle a bien dit : « Votre petite femme. » Oh ! Sharon... Je dois me forcer pour lire les passeports qu'elle me met sous les yeux et je prends conscience que je me nomme désormais Charles Allenwood et que je suis accompagné de mon épouse, Pénélope, dite Penny. Je ne demande rien d'autre et tout le reste m'indiffère sauf, cependant, ce gentleman déjà repéré et quelque peu voyant. Le hasard — est-ce bien le hasard ? — le fait asseoir juste derrière nous. Toutefois, je n'entends pas sacrifier une parcelle de mon bonheur présent à ce qui n'est, sans doute, qu'une sorte de phantasme obsessionnel. Je dois me garder d'adopter la mentalité du fugitif traqué qui découvre, dans chaque personne rencontrée, un policier. Le car roule sur la route de Carlow. Tout autour de nous, le bruit des conversations rappelle une volière. Je reprends mon faux passeport et je ne peux m'empêcher de rire en remarquant qu'on m'y attribue la profession d'avocat alors que je n'ai jamais pu prononcer trois mots en public sans bafouiller. Je prends la main de Sharon dans la mienne.

— Sha... Penny, j'aimerais que vous compreniez...

— Je comprends, Charles..., ne vous faites pas de souci...

La pression de ses doigts me donne à entendre que

ce n'est ni l'heure ni le lieu d'entamer des explications. Son sourire tendre m'oblige à me soumettre.

— Charles, j'espère que vous avez pensé à mettre sous clef le dossier Donoghue ?

— Aucun de mes secrétaires ne pourra y jeter un coup d'œil indiscret. Pendant que j'étais au tribunal, Harry Dobson n'est-il pas venu vous trouver ?

— Non. Je n'ai vu personne.

— Parce que, comme raseur, celui-là...

— Je sais. J'espère, cependant, que cette fois, il aura compris.

C'est aux environs de Kilkenny que l'éternelle grincheuse — qui semble obligatoirement faire partie de tout voyage collectif — commence à se manifester. Une sexagénaire à cheveux gris, plutôt replète, portant un chignon digne de retenir toutes les attentions : une espèce de toque noire dont les côtés, s'étant affaissés sous l'effet d'un poids invisible, demeurent plissés en accordéon. Sur le devant de la coiffure, une grappe de raisin d'où partent de minces festons dorés. Je croyais, jusqu'ici, que seules les modistes britanniques témoignaient d'une imagination délirante. La dame irlandaise me prouve mon erreur. Elle appartient, sans doute, à cette espèce de gens qui, convaincus qu'ils ne ressemblent pas aux autres, tiennent à se faire remarquer.

— Chauffeur, j'estime que vous prenez vos virages à une trop grande vitesse ! N'oubliez pas que si vous avez un accident, vous serez tenu pour responsable.

Les conversations cessent brusquement pour écouter pérorer la suffisante personne.

— D'ailleurs, si vous ne modifiez pas votre façon de conduire, je vous promets qu'à l'arrivée, je déposerai une plainte contre vous au bureau de la compagnie. Attention ! Vous avez manqué écraser une poule ! Vous n'avez pas trop bu, j'espère ?

Un gentleman d'une cinquantaine d'années, à allure de sollicitor, répond, et pour le chauffeur et pour tous les voyageurs :

— Pardonnez-moi, madame, mais ne croyez-vous pas qu'il serait plus sage de laisser le chauffeur conduire comme il l'entend ?

— Sir, je ne pense pas vous connaître, je vous serais donc obligée de ne pas vous mêler de mes affaires !

— Alors, fichez-nous la paix !

— Oh ! mais savez-vous qui je suis ?

— Non et j'avoue que je m'en soucie peu.

— Eh bien, sir ! apprenez que je suis miss Constantia Moydrum, de Dublin, institutrice en retraite !

— Et qu'est-ce que vous voulez que cela me fasse ?

— Oh !... sans doute, n'avez-vous pas entendu ? Je suis...

Dans le silence qui entoure cette joute oratoire, on entend très distinctement une voix anonyme dire :

— ... une emmerdeuse.

Comme propulsée par un ressort, miss Moydrum se dresse et, rouge de colère, bégaie :

— Qui... qui... a osé ? Je me figurais voyager avec des ladies et des gentlemen, et je m'aperçois, avec regret, que je me suis trompée !

Une femme lance :

— Celle-là, alors, quelle casse-pieds !

L'institutrice fonce dans la direction d'où l'injure lui est parvenue, mais le chauffeur intervient à son tour :

— Hé ! la mémé, pourriez pas vous tenir un peu tranquille ?

Du coup, elle part vers celui qui tient le volant, en criant :

— Vous, je vous ferai mettre à la porte, espèce de goujat !

L'homme âgé, assis derrière nous, se lève, va prendre miss Moydrum par le bras et la ramène à sa place, en conseillant :

— Vous devriez vous calmer, miss.

— Mais, de quel droit...

— Si votre attitude était rapportée à des psychiatres, ils y trouveraient sûrement prétexte à vous envoyer, pendant quelque temps, dans une maison de repos.

— Dans... dans...

— Je le crains, miss. Je suis médecin, ou du moins, je l'étais. Moi aussi, je goûte aux joies sereines de la retraite.

Horrifiée par la perspective dont on la menace, l'ex-institutrice se rassied, hébétée. On ne l'entendra plus jusqu'à la fin du parcours. Je chuchote à Sharon :

— Cette autorité, cette fermeté, pas d'erreur, c'est un flic.

Je ne peux cacher l'angoisse qui m'agite. Sharon passe son bras sous le mien pour que je sente mieux qu'elle est là, pour que je me calme. Mais c'est plus fort que moi, cette présence derrière moi me donne envie de me battre, de cogner. Jusqu'au terme du voyage, nous imitons miss Moydrum et ne prononçons plus un mot.

A Killarney, Sharon m'entraîne vers un minibus qui assure le service de l'*Hôtel Longford*, à deux miles, dans les collines couvertes de sapins. A peine y sommes-nous installés que « mon » policier nous rejoint, suivi de près par miss Moydrum. Nous sommes parfaitement reçus au *Longford* et lorsque je me retrouve dans la chambre mise à notre disposition, j'oublie mes craintes et prends Sharon dans mes bras. Nous échangeons un long baiser qui me redonne confiance en moi. Je me persuade que du moment qu'elle m'aime et que je l'aime, rien de désagréable ne peut nous arriver.

Avec simplicité, et une ferveur qui me bouleverse, Sharon devient ma maîtresse. Dès cet instant, plus rien n'existe pour moi, hormis notre tendresse. Je me sens plus fort que n'importe qui, n'importe quoi. Quand nous sommes rassasiés, je pose la question qui, depuis notre départ, me brûle les lèvres.

— Et maintenant, mon amour, quel est le programme ?

Assise sur le lit, elle allume une cigarette avant de répondre :

— Demain, nous irons coucher à Limerick.

— Pourquoi ?

— Ne posez pas de questions, chéri. Nous nous rendrons à Limerick parce que Dave nous a fixé un itinéraire que nous devons suivre à la lettre si nous voulons avoir une chance de nous en sortir.

— Je n'avais pas besoin de lui pour ça !

Elle rit et me pince le nez en disant :

— Mon beau chevalier qui tient absolument à se battre pour sa belle ! même s'il ignore tout des dangers qui nous menacent...

Enervé par son ton gentiment apitoyé, je manque lui confesser que je suis un policier capable de mettre des centaines de Dave dans ma poche. Je me tais, car je redoute sa réaction, en apprenant que j'appartiens à la même catégorie que ceux lancés à nos trousses.

Toilette faite, nous descendons dîner et, à la réception, nous profitons d'un instant où le hall est désert pour nous renseigner sur l'horaire des cars vers Limerick, faire retenir une chambre à l'hôtel *Jury's* dont le jardin — si nous devons en croire le prospectus — baigne dans les eaux du Shannon et convoquer un taxi qui, demain en fin de matinée, nous emmènera à la gare des bus.

Un maître d'hôtel, impeccable, nous accueille à la porte de la salle à manger et nous conduit à une table près de la fenêtre. Je sursaute en constatant que nous avons pour voisin celui dont je me méfie depuis que je l'ai vu pour la première fois. Quand nous passons devant lui, il nous sourit et salue fort courtoisement Sharon. De méchante humeur, je m'assieds et, au même moment, mon attention est attirée par les signes que m'adresse, du fond de la salle, la toquée de l'autocar, miss Moydrum.

— Décidément, chérie, nous aurons du mal à sortir de ce guêpier.

— Quel guêpier ?

— Le flic qui nous surveille et la folle qui brûle de nous rejoindre !

— Ne vous occupez pas d'eux.

— S'ils pouvaient nous rendre la pareille !

Je n'ai qu'une hâte, c'est d'arriver au dessert. Nous y parvenons enfin, mais au moment où nous nous apprêtons à quitter la table, le « flic » se lève avant nous, s'approche et, prenant une chaise, nous interroge aimablement :

— Puis-je me permettre, maître, de vous ennuyer quelques minutes ?

Se moque-t-il de nous ? Sans attendre un acquiescement, il s'installe.

— Je m'appelle Greg Camaross et suis médecin ainsi que je l'ai appris à cette femme acariâtre que j'ai réussi à calmer dans l'autocar. J'ai exercé pendant trente-six ans, à Belfast. Si je me suis retiré près de Killarney, c'est pour trouver le calme qu'on me refusait dans l'Ulster. Je goûterais ici un bonheur total si je n'avais un voisin, Elmer Cloonford, parfaitement insupportable. Or, ayant cru comprendre, par certains de vos propos que je n'ai pu m'empêcher d'entendre, que vous apparteniez au barreau de Dublin, je vous serais reconnaissant de me donner deux ou trois conseils au sujet d'un droit d'usage que je conteste.

Malgré moi et en dépit de la mine scandalisée de mon interlocuteur, je ne peux m'empêcher de rire. Ainsi, le flic dont l'insistante présence m'affolait, se révèle n'être qu'un brave bourgeois soucieux de me taper d'une consultation juridique gratuite.

C'est le soleil qui, le lendemain, nous réveille. Nous avons dormi, Sharon et moi, dans les bras l'un de l'autre. Je ne pensais pas qu'il me serait possible, un jour, de goûter un bonheur aussi total. En dégustant notre breakfast, servi dans notre chambre, nous avons, de nouveau, bien ri de notre mésaventure avec le vieux médecin. Le journal ne parle pas de l'évasion de Sharon. Tout, en ces heures matinales, nous apparaît lumineux et d'abord notre avenir — quand nous serons aux U.S.A. — que nous bâtissons à petits coups, par touches légères et chaque suggestion n'est adoptée qu'après un commun accord triomphant de discussions passionnées. Nous décidons de nous marier sitôt arrivés dans le Vermont, mais nous ne parvenons pas encore à nous entendre sur le coin ou la ville où nous fonderons un foyer. Pour moi, la seule ombre sur ma joie est l'idée qu'il me sera difficile, pendant très longtemps, de remettre les pieds à Mayoworth et donc, de revoir mes parents.

Nous bavardons tant et tant que nous sommes obligés de courir pour ne pas faire attendre notre taxi et ne pas rater le départ du bus pour Limerick. Il se produit une bousculade pour monter dans le car. Sharon est heurtée brutalement par un costaud, mais elle résiste et va pour occuper la place qu'elle a choisie quand le malabar lui flanque un coup d'épaule et s'installe dans le fauteuil qu'elle convoitait. La colère me jette sur le bonhomme que j'empoigne par les oreilles. Il pousse un cri et suivant l'élan que je lui ai imprimé, tombe sur les genoux dans le couloir tandis que Sharon s'assied sur le siège récupéré. Les voyageurs, dans leur ensemble, approuvent mon geste et notamment un prêtre qui, en dépit de ses cheveux blancs, a l'air d'un adolescent.

— Bravo, mon ami ! Il y en a qui méritent une leçon...

Le costaud secoue la tête, se frotte les oreilles et grogne :

— Ça va être sa fête, à ce type !

Il se relève péniblement. Quand il est debout, il respire à fond et me demande :

— Vous avez envie d'aller à l'hôpital ?

— Pour vous y porter des douceurs ?

— On fait le mariolle, hein ?

— Vous me fatiguez.

— Dommage, parce que vous le serez plus encore quand je vous aurai rossé !

— Sacré farceur, va !

— Le car a du retard... On a le temps de descendre cinq minutes. M'en faudra pas plus pour vous modifier le portrait.

— Dans ce cas, je vous suis.

Le prêtre essaie, sans beaucoup de conviction, de s'interposer, mais mon adversaire l'écarte brutalement.

— Vous, occupez-vous de vos affaires et si vous avez envie de réciter une prière pour ce pauvre gars qu'est venu me chatouiller, vous gênez pas... (Il se tourne vers Sharon.) Quant à vous, ma petite dame, lorsque je remonterai, faudra me rendre ma place.

J'avais appris trop de coups vicieux à la C.I.A. pour redouter quoi que ce soit de ce malappris. Parce qu'irlandais et passionné de bagarres, le chauffeur accepte d'attendre la fin du combat pour démarrer. Le prêtre s'offre comme arbitre. La bataille est brève. Tandis que ce gros balourd, confiant dans sa seule force, cherchait à me frapper la figure, je lui percutai le foie avec l'extrémité des doigts de la main droite réunis en un faisceau qui leur donnait la qualité d'un épieu. Mon bonhomme ne put retenir un gémissement en portant, instinctivement, les bras vers la partie de son corps dont il souffrait. Je n'eus plus qu'à le mettre hors de combat d'une droite très sèche au menton. Le chauffeur, honnête, descendit de son siège pour glisser dans la poche du vaincu son titre de transport et annonça :

— On s'en va !

Tandis que je m'assieds, Sharon murmure :

— Vous êtes sûr que c'est un bon moyen de ne pas être remarqué ?

— Je ne supporte pas qu'on s'en prenne à vous !

L'enthousiasme du prêtre-arbitre ne s'est pas calmé.

— Vous permettez que je prenne place en face de vous ?

Nous n'avons aucune raison de nous y opposer.

— Je vous en prie.

Il s'installe, nous regarde et chuchote, avec un air malicieux :

— Voyage de noces, hé ?

Je le confirme dans sa conviction et il annonce à ma compagne :

— Vous avez un mari, madame, qui saura vous défendre ! Avez-vous vu la manière dont il a expédié ce grossier personnage ?

Sharon réplique assez sèchement :

— C'est là un genre d'exploit que je n'apprécie pas particulièrement.

— Oh ! ! !

L'abbé est vraiment scandalisé et, après un court silence, il s'enquiert dans un souffle :

— Peut-être n'êtes-vous pas irlandaise ?

— Mais si ! en voilà une idée !

— Pardonnez-moi, mais une fille de chez nous qui réprouve les franches batailles à poings nus, ça ne se rencontre pas tous les jours ! Ah ! si je n'avais pas été pasteur, je m'en serais payé, de belles bagarres ! Hélas ! ma sœur Jessica, mon aînée, s'est toujours opposée à mon goût des sports virils... Vous vous arrêtez à Limerick ?

— Oui, sans doute.

— Moi aussi. L'agence de voyages m'a retenu une chambre au *Jury's*.

Je jette un regard désespéré à Sharon. C'est au *Jury's* que nous descendons. Allons-nous devoir supporter ce sympathique bavard pendant notre court séjour ?

— Notez que je n'ai jamais voyagé sans Jessica et, à soixante-deux ans, il est temps que je m'émancipe, pas vrai ? Je dois reconnaître que c'est Jessica, un matin, qui, tandis qu'elle me servait mon breakfast,

188

a remarqué : « Je vous trouve bien mauvaise mine, Fergus. Il serait grand temps que Monseigneur vous accordât une bonne semaine de congé pour vous reposer, mais comme je ne veux pas vous avoir dans les jambes, vous irez vous promener dans notre Irlande. — Sans vous ! — Vous devez apprendre à vous débrouiller seul, Fergus... — Je sens que je ne pourrai jamais ! — Il le faut, pourtant : n'oubliez pas que je suis entrée dans ma soixante-dixième année et que le moment n'est sans doute plus très loin où le Seigneur me rappellera auprès de Lui. » Alors, avec la permission de Monseigneur, j'ai abandonné ma paroisse de Killorglin à mon vicaire, et me voilà en route pour Tullamore, le pays de mes parents, avant de gagner Dublin. Vous connaissez ?

— Oui.

— Il paraît que c'est une belle ville avec de beaux parcs. Il me tarde de m'asseoir dans St. Stephen's Green.

— Voilà de bien modestes ambitions.

— Elles suffisent à mon état.

Sharon et moi n'avions décidément pas de chance ! A peine sommes-nous débarrassés de la vieille institutrice fofolle et de l'ex-médecin perdu dans des querelles de mauvais voisinage, que nous tombons sur un prêtre bavard se cramponnant à nous !

Pendant toute la durée du voyage, Sharon et moi ne pouvons échanger un mot et quand, enfin, le car nous dépose dans le jardin de l'hôtel, je bondis à la réception pour connaître le numéro de notre chambre. Sans laisser aux domestiques le loisir de s'en occuper, j'attrape mon mince bagage et celui de Sharon à qui je ne laisse que sa jolie valise plate où elle enferme ses objets de toilette et, l'entraînant, je me hâte vers le refuge que l'on m'a attribué.

Nous passons un après-midi merveilleux. Après le lunch, nous nous retirons dans notre chambre pour nous offrir une sieste amoureuse. Au réveil, nous faisons un brin de toilette et, une fois prêts, nous décidons de nous offrir une promenade dans la ville où naquit Marie Gilbert, connue du monde entier sous son pseudonyme de Lola Montes. Je proteste lorsque Sharon empoigne sa jolie mallette noire.

— Voyons, chérie, nous n'allons pas emporter nos bagages pour flâner dans les rues de Limerick.

— Je ne m'en sépare jamais, Pat. C'est mon trésor. J'ai le sentiment que si je m'en séparais, il m'arriverait malheur.

Bien qu'intrigué et légèrement inquiet, je n'insiste pas et nous nous glissons précautionneusement le long des couloirs avec la crainte de tomber nez à nez avec notre curé dont, alors, nous ne pourrions plus nous débarrasser. En passant devant la réception où je dépose notre clef, mes yeux tombent sur la pile des journaux mis à la disposition des clients et mon cœur s'affole. Un titre a, tout de suite, accroché mon regard : *Une jeune femme, soupçonnée de meurtre, s'évade de la prison de Dublin.* Je prends le quotidien et, le repliant, je cache la nouvelle à Sharon qui, s'étant aperçue de mon trouble, me demande ce que j'ai. Je ne lui réponds pas et l'entraîne vivement dehors.

En arrivant dans Ennis Street, qui passe devant notre hôtel, ma compagne s'écrie :

— Vous déciderez-vous à me répondre, à la fin ?

— Dans un moment. Pour l'heure, marchons d'un bon pas, je vous en prie.

Elle m'obéit et ceux qui nous voient passer de

leurs fenêtres ou nous croisent sur le trottoir, doivent être persuadés que nous sommes très en retard où que nous nous rendions. Nous traversons à vive allure le pont sur le Shannon et dans O'Connell Street, nous sautons dans un taxi qui nous conduit au People's Park. Là, je reprends l'allure paisible du promeneur jusqu'à ce que je découvre un banc vide, largement ombragé par les branches retombantes d'un hêtre pleureur. Sharon, exaspérée par mon silence, grogne :

— Puis-je espérer que nous sommes arrivés au bout de notre course ?

— Pour l'instant.

— Et cela signifie quoi, cette gymnastique ?

Sans un mot, je lui tends le journal et, du doigt, lui indique l'article qui la concerne. Le titre la fait gémir et elle soupire :

— Nous avons été fous de croire que nous pourrions leur échapper...

— N'abandonnez pas, chérie, avant de savoir si, oui ou non, nous sommes pris dans une nasse dont nous ne pourrions nous sortir. Ce n'est pas le cas !

Je lui reprends le journal des mains et je lis :

— « Sharon Timahoe, soupçonnée de meurtre, s'est échappée de la prison de Dublin. On pense que, grâce à des complicités, elle a trouvé un abri sûr dans la capitale. Jusqu'à présent, les recherches sont restées sans résultat. Aux dernières nouvelles, il est permis de penser que la fugitive se dirige vers l'Ulster, comptant sans doute profiter de ce qui a lieu dans ce malheureux pays pour disparaître. »

Ma compagne rit nerveusement.

— Tant qu'ils me chercheront en Ulster, ils ne seront pas près de nous mettre la main dessus. Nous avons la chance avec nous, chéri !

— Peut-être...

— Pourquoi ce scepticisme ?

— Parce que j'ai peur de Marcus. Il a été berné et vous pouvez être certaine qu'il ne l'accepte pas.

— Et alors ?

— Je le crois très fort.

— Il ne le semble pas, pour le moment, non ? Qu'est-ce qui vous turlupine ?

— Pourquoi n'y a-t-il pas votre photo dans le journal ?

— Je l'ignore.

— Moi aussi et j'aimerais bien le savoir.

En regagnant l'hôtel, nous tombons sur Fergus, le prêtre crampon. Il nous saute littéralement dessus.

— Vous avez disparu tous les deux et je redoutais de ne pas vous revoir avant mon départ. Je m'apprêtais à prendre le thé. Me ferez-vous le plaisir de le partager avec moi ?

Il est tellement sincère qu'il est impossible de refuser et nous voilà, bientôt, assis tous les trois en train de manger des scones en buvant du thé. Je préférerais un whisky qui, sans doute, dissiperait mes inquiétudes.

A peine avons-nous commencé à nous restaurer que notre hôte se lance dans un discours que rien ne semble devoir suspendre. Il s'arrête tout juste de temps à autre pour déglutir ou boire. Ce dont il nous parle ne pouvant susciter ni notre approbation ni notre désapprobation, nous nous contentons de témoigner notre intérêt par des hochements de tête compréhensifs. Le plus naïvement du monde, Fergus nous raconte sa vie et celle, conjointe, de sa sœur Jessica qui lui a servi de mère, ses parents étant morts très tôt. Au fond, je suis reconnaissant au bavard de m'empêcher de penser à Marcus. Après le panégyrique de la grande sœur, nous avons droit à une description minutieuse de leur existence quotidienne dans la paroisse de Killorglin et, incontinent, voilà que notre discoureur nous peint — avec un sens aigu de l'observation — les personnages les plus importants du patelin. Ainsi, défilent sous nos yeux Mrs Corlough, l'épicière, qu'une vieille animosité dont la cause est oubliée depuis longtemps, oppose à Jessica ; Mr Granard, le boucher, qui a pour seul défaut une main suffisamment brutale pour tuméfier régulièrement le visage de Mrs Granard ; Mr Drumlish, droguiste et pharmacien, le plus généreux de tous les paroissiens ; miss Lagga qui a une voix merveilleuse et d'une fraîcheur inouïe pour ses cinquante ans, etc. Suscités par l'éloquence du prêtre, des gens défilent devant nous auxquels nous prêtons les visages de notre choix et les silhouettes qui satisfont notre imagination.

A 6 heures et quart, j'en ai quand même assez et, entraînant Sharon, je prends congé de notre compagnon qui nous fait promettre — au cas où nous passerions un jour à Killorglin — de venir frapper à sa porte. Il serait si heureux de nous présenter l'incomparable Jessica O'Mesry, sa sœur.

Lorsque, dans notre chambre, nous nous sentons, de nouveau, écartés du monde, je me laisse tomber dans mon fauteuil, en soupirant.

— J'ai cru que nous n'échapperions plus à ce déluge verbal ! Il est inépuisable, ce type !

— Mais si gentil...

— Sans doute... Petit homme, petite vie, médiocrité et compagnie. Quant à la Jessica, je la suppose plutôt abusive.

— Qu'importe, s'ils sont contents ainsi ?

— Exact. Au fond, je les moque, mais je souhaiterais être à leur place et pouvoir vous aimer, Sharon, sans craindre qu'à tout instant, un flic n'apparaisse sur notre seuil...

Ma compagne ne se livre à aucun commentaire, se contentant d'annoncer :

— Je suis fatiguée. Je n'irai pas dîner. Je me couche tout de suite.

Naturellement, je l'imite et, quelques minutes plus tard, nous nous abandonnons, dans les bras l'un de l'autre, à une lassitude heureuse.

— Pat, je vous devine soucieux, préoccupé... Le journal en est cause ?

— Je le crois, oui.

— Pourquoi ? Je n'ai rien vu qui puisse nous inquiéter.

— Justement ! c'est cette espèce d'indifférence à notre égard qui me fait peur.

— D'autres s'en féliciteraient, non ?

— Je crains tellement de vous perdre, que je soupçonne des pièges partout.

Elle me caresse doucement le visage et murmure :

— Vous m'aimez donc tant ?

— Oh ! Sharon... Si vous n'étiez plus là, je mourrais.

— Taisez-vous !

C'est plus une supplication qu'un ordre. Des larmes coulent sur ses joues. Je n'en comprends pas la raison et la serre très fort contre moi.

Sharon m'abandonne un instant pour s'enfermer dans la salle de bains. Tandis que je me creuse la cervelle pour essayer de deviner ce que la police complote contre nous, je vois la fameuse mallette noire. Après une brève hésitation, je l'ouvre et je demeure confondu. En plus de toutes les pommades, tubes, crayons dont une jeune femme a besoin aujourd'hui, je découvre une poupée en chiffon, informe, un compliment inscrit d'une écriture appliquée sur un papier à bordure de dentelle. Sans doute, les ultimes témoignages d'une enfance que Sharon ne s'est pas encore décidée à abandonner tout à fait... Je suis attendri au point d'en avoir la larme à l'œil. Je referme la mallette au moment où ma compagne réapparaît pour m'interroger :

— Pat, je me demande si vos préoccupations, que vous attribuez aux nouvelles du journal, ne viennent pas du fait qu'au fond de vous-même, vous vous sentez humilié de ce que Marcus Lodge — que vous admirez — patauge lamentablement dans cette histoire.

— Je suis certain qu'il ne patauge pas.

— Alors, comment expliquez-vous la dépêche de Dublin ?

— Je ne me l'explique pas. Marcus est au courant de l'amour profond que je vous porte.

— Et puis après ?

— Comment peut-il penser que je vous abandonnerais ?

— Les policiers ne sont pas très enclins à se pencher sur les histoires d'amour.

— Marcus, oui.

— Allez jusqu'au bout, Pat, et confiez-moi ce qui vous tracasse dans l'instant.

— Lodge est au courant de la solidité, de la profondeur du sentiment que je vous porte. Je suis sûr qu'il sait ma présence à vos côtés.

— Admettons ! Ensuite ?

— Pour quelles raisons les communiqués de la police ne font-ils aucune allusion à moi qui, aidant la femme que j'aime à échapper aux rigueurs de la loi, tombe, à mon tour, sous le coup de cette même loi ?

— Peut-être pour tenter de vous éviter de gros ennuis ?

— Possible, mais pourquoi n'ont-ils pas transmis votre photo à la presse ?

— Comment voulez-vous que je réponde ?

— Moi, je souhaiterais pouvoir le faire à votre place.

— Oubliez tout cela et essayez de dormir. Bonne nuit.

— Demain, nous gagnons quel patelin ?

— Athlone, à moins de cent miles d'ici.

— Nous y allons parce que Dave le veut ?

— Parce que Dave le veut... Fâché, chéri ?

— Dave commence à me casser les pieds, mais enfin, à Athlone, nous serons plus proches du Connemara où j'ai eu la chance de vous rencontrer.

— Une chance, Pat ? Qui oserait l'affirmer ?

— Moi, mon amour.

Le voyage de Limerick à Athlone fut sans histoire. Maintenant, nous sommes installés, à l'écart de la petite ville, dans un hôtel perdu parmi les arbres où nous avons vraiment l'impression d'être à l'abri de tout et de tous.

Nous sommes arrivés de bonne heure et la perspective de passer la journée sans bouger ne me souriant guère, nous filons louer une voiture. Dès lors, libres de nos mouvements, nous partons vers l'immense lac Ree qui est l'orgueil de la région. Ayant voulu montrer à ma compagne que je suis capable de voyager hors des sentiers battus je m'égare dans des chemins de terre ne menant nulle part. Au cours de ce trajet, j'ai réussi un fameux nombre de marches arrière. Nous sommes, cependant, parvenus sur le bord du lac.

Le hasard veut que les hommes aient, alors, déserté l'endroit. Il y règne une paix comme il devait en régner une au paradis avant qu'Eve n'écoutât le serpent. Le silence n'est troublé que par le clapotis des vaguelettes mordant légèrement le rivage. Les canards sont rois en cet endroit privilégié. Ils viennent regarder sous le nez les importuns et ont l'air de réclamer un droit de passage sous forme d'une croûte de pain ou d'un débris de biscuit. Sharon, qui s'est accroupie, est immédiatement entourée de couples où le mâle se fait, tour à tour, cajoleur ou menaçant. Ma compagne, tournant sur elle-même pour contempler le paysage, dit :

— Un endroit où j'aimerais vivre...

— On rencontre toujours trop tard les endroits où l'on aimerait vivre...

— C'est vrai... Les gens aussi peut-être ?

— Taisez-vous ! Vous n'avez pas le droit de penser ainsi puisque nous nous sommes rencontrés.

Elle me sourit et je me sens plein d'une force nouvelle.

De retour à l'hôtel, Sharon — montée dans sa chambre pour procéder à un brin de toilette avant le lunch —, je l'attends au bar où je m'installe à une table. Quelqu'un y a oublié le journal du jour. Ma main tremble en le dépliant. Je me précipite sur la rubrique des faits divers. Un titre me coupe la respiration : *L'arrestation de la fugitive de Dublin n'est plus qu'une question d'heures*. J'entame la lecture de l'article et, bientôt, je m'apaise avant de m'amuser franchement. Au moment où Sharon, pomponnée, me rejoint, je lui lance :

— Savez-vous où vous êtes, actuellement ?

— Mais... à Athlone ?

— Erreur ! Vous êtes à Edimbourg !

— Que me chantez-vous là ?

— Ecoutez, femme de peu de foi ! (Et je lis l'article à mi-voix.) « Il semble bien que Sharon X, l'évadée de Dublin, ne doive plus jouir bien longtemps de sa liberté indûment retrouvée. Des témoins dignes de foi ont signalé, en plusieurs endroits de la ville d'Edimbourg, la présence d'une jeune femme blonde dont l'allure inquiète avait attiré leur attention. Ils ont parfaitement reconnu la fugitive sur les photos de cette dernière qui leur furent présentées. » Qu'est-ce que vous dites de ça, chérie ?

— Les Ecossais ont beaucoup d'imagination et votre Lodge, pas beaucoup de flair.

— Je vais finir par le croire !

Après le lunch, je propose à ma bien-aimée de découvrir ensemble Clonmacnoise dont le nom prononcé à haute voix fait battre le cœur des Irlandais dispersés à travers le monde. Nous parvenons au lieu sacré vers 4 heures et, tout de suite, malgré notre joie de savoir la police égarée sur de mauvaises pistes, nous n'avons plus envie de plaisanter ni de rire, tant la majesté des lieux nous en impose. De ce qui fut un des plus importants foyers spirituels du haut Moyen Age, il ne reste plus qu'une fraîche prairie baignée par les eaux du Shannon et parsemée d'innombrables croix celtiques parmi lesquelles gémit un vent qui ne cesse presque jamais de souffler. Çà et là, des ruines qui furent églises et châteaux. La main dans la main, Sharon et moi avançons à pas lents à travers ces jalons de pierre marquant le cours de l'histoire irlandaise. On pense à des ex-voto plantés là pour rappeler à Dieu ce qu'a souffert le peuple d'Irlande. Ces pierres décapées par la bise sont le symbole de tant de misères et de tant de foi qu'avec ma compagne, nous nous sentons pénétrés par quelque chose d'autre que ce que nous voyons et nous sommes profondément émus. Savant, grâce au prospectus pris à l'hôtel, je peux montrer à ma bien-aimée la petite église du XIIᵉ siècle — Nun's Church — où est enterrée Dervorgilla, reine de Briefne, qui profita de ce que son époux, Tiernam O'Rourke, s'était rendu en pèlerinage dans le Donegal, sur le lac Derg, pour se faire enlever par le roi du Leinster, Dermot Mac Murrough.

Est-ce le vent pointu qui ne se laisse arrêter par rien ou l'histoire de la folle Dervorgilla qui fait trembler Sharon ? Quoi qu'il en soit, elle se blottit, frissonnante, contre moi et, nous arrachant à l'envoûtement de Clonmacnoise, nous partons à la recherche d'une tasse de thé.

Ce thé auquel nous aspirons, nous le trouvons chez une brave femme — Abigail Screebe — mi-fermière, mi-restauratrice qui nous réconforte avec un breuvage bouillant et de belles tranches de pain gris sur lesquelles elle étale miel et beurre. En dépit de sa carrure, Abigail — que son mari, nous confie-t-elle, appelle Gail — n'a sûrement pas dépassé la quarantaine. Elle nous explique que son époux, travaillant à Ballinasloe, la quitte le matin et ne rentre que le soir. Elle vit donc seule, la plus grande partie de la journée. Elle a trop de travail pour avoir le temps de s'ennuyer. Toutefois, quand le cafard la prend, elle sonne le ralliement de toute sa nichée. La brave femme se croit obligée de confirmer ses dires par une démonstration et, s'avançant sur le seuil, elle huche ses petits en se tournant successivement vers les quatre points cardinaux. Presque aussitôt, on entend une galopade et, poussant la porte sans la moindre douceur, les gosses répondent à l'appel de leur mère. Il y en a neuf ! Sharon ne peut se retenir de remarquer :

— Ils ne sont pas tous à vous ?

Abigail redresse le torse et, gonflant sa robuste poitrine, réplique :

— Si ! tous !

— Difficile à croire !

— J'ai commencé de bonne heure, et puis il y a des jumeaux.

Sur ce, nous avons droit à une présentation en bonne et due règle. Successivement, nous saluent de la tête ou nous font une révérence, un Sean, un Dermot, une Maureen, une Jane, une Joyce, une Sheila, un Shamus, un Edmund et un George.

Ces enfants sont beaux. Je le dis et la mère, orgueilleuse, répond :

— J'ai eu de la chance... Vous en avez des enfants, vous autres ?

Avant que je n'aie eu le temps d'expliquer pourquoi nous n'avons pas encore de progéniture, Sharon éclate en sanglots. Bouleversée, la bonne Abigail prend ma compagne dans ses bras et tente de la consoler :

— Faut pas vous mettre dans tous vos états. Il y a peut-être pas longtemps que vous êtes mariés, tous les deux ?

Les gosses, que les larmes de la jolie dame stupéfient, n'osent pas bouger. D'un geste, la mère les chasse et ils s'éparpillent dans la nature.

— Au début, moi aussi, j'ai cru que je ne serais jamais maman ! Vous vous rendez compte ? Je peux vous confier quelques secrets si votre mari veut bien aller voir dehors si nous y sommes.

Je sors. Je suis ému sans pouvoir analyser clairement la source de cette émotion. Jamais peut-être
comme en cet instant, je n'ai eu le sentiment que ma
vie avec Sharon est définitivement assurée. J'en suis
profondément heureux et quand je reviens dans la
maison de notre hôtesse, je vais spontanément embrasser Sharon et Abigail commente :

— Je suis sûre que vous serez heureux tous les
deux. Vous verrez combien les gosses sont une béné-
diction pour un foyer chrétien.

Quand nous partons, les deux femmes s'étrei-
gnent. Sharon et moi nous nous éloignons sans un
mot, mais nous n'avons pas besoin de parler pour
savoir que nous ressentons la même chose : une
douceur qui nous rassure et nous enchante, la certitude que si nous échappons à la police, nous savou-
rerons un bonheur sans faille que rien ni personne
ne pourra plus troubler. Nous roulons doucement
vers Athlone.

— Vous aimeriez avoir des enfants, Sharon ?

— J'aurais aimé en avoir.

— Il n'est pas trop tard !

— Je crains que si, Pat.

— Allons donc ! Savez-vous que lorsque vous tenez des propos de cette sorte, je m'interroge pour
décider si vous m'aimez ou non ?

— Pourquoi cette éternelle question, Pat ? Ne
pouvons-nous pas prendre le temps comme il vient,
sans nous entêter à bâtir un avenir dont, le moins
qu'on puisse dire, c'est qu'il n'est pas assuré.

— Je vous défends de...

— Voyons, Pat. Il faut avoir le courage de regarder les choses en face.

— Ce qui signifie ?

— Que nous ne pourrons pas vieillir ensemble.

— Parce que ?

— Parce que votre ami Lodge a beau se tromper sur l'instant il se reprendra — quand ? comment ? je l'ignore — mais je suis certaine qu'il se reprendra et qu'il ne nous lâchera plus.

— Dois-je comprendre que vous renoncez à notre union ?

— Je n'y ai jamais bien cru.

— Mais pourquoi ? pourquoi ?

— Pat, nous sommes engagés dans une aventure qui peut nous conduire — moi, surtout — en prison, pour le reste de nos jours. Honnêtement, franchement, jugez-vous que j'aie le droit de vous entraîner dans cette triste histoire ?

— Cela dépend...

— De quoi ?

— De vos sentiments à mon égard.

— Vous savez bien que je vous suis très attachée.

— Au point de souhaiter me voir m'éloigner de vous le plus vite possible.

— Qui vous dit que je n'en aurais pas de la peine ?

— Dans ce cas, pourquoi nous séparer ? Nous nous sommes promis l'un à l'autre, Sharon. L'auriez-vous déjà oublié ?

— Je voudrais l'oublier.

Nous étions partis si pleins d'entrain pour Clonmacnoise et voilà que, maintenant, nous sommes presque deux étrangers l'un pour l'autre. Je laisse Sharon monter dans notre chambre pendant que je bois un gin pour me calmer. Je ne comprends pas l'attitude de celle que j'aime et qui m'aime, j'en suis convaincu. On dirait qu'au fur et à mesure que le salut se fait plus proche, Sharon a de plus en plus peur des jours à venir. Redoute-t-elle la possibilité d'une extradition ? Mais nous débarquerons clandestinement et puis, si les Américains retrouvent Sharon sous son identité de Mrs Mulcahy, ils exigeront qu'on leur prouve la culpabilité de mon épouse avant d'accepter de la rendre aux Anglais.

Dans la chambre, Sharon s'est allongée sur son lit et pleure. Je m'assieds près d'elle et l'attire contre moi.

— Pourquoi ce gros chagrin ?

— Parce que je vous aime, Pat.

J'essaie de plaisanter.

— Et moi qui me figurais que l'amour s'accompagnait de jeux et de rires...

— Pas pour nous, Pat.

— Toujours à cause de Marcus Lodge ?

— Entre autres, oui.

— Sérieusement, Sharon, vous pensez que je peux me contenter d'une pareille réponse pour boucler ma valise et disparaître de votre vie ?

— Vous le devriez, pourtant.

— Ecoutez, Sharon, vous êtes celle que Dieu a mise sur mon chemin pour que je fasse ma vie avec elle, pour qu'ensemble, nous ayons des enfants, des filles qui vous ressembleront et des garçons que je nous souhaite moins bornés que leur père.

— Taisez-vous, Pat ! par pitié, taisez-vous ! Je vous en supplie !

— Bon, bon, je me tais, d'accord. Je n'y comprends rien, mais je me tais.

Afin de bien lui montrer mon obéissance, je lui tourne le dos et, malgré le tumulte suscité en moi par le comportement de Sharon, je m'endors. Quand je me réveille, ma main cherche naturellement le corps de mon amie. Elle ne le trouve pas.

D'un élan, je me redresse et ne découvrant pas la jeune femme, une angoisse folle me broie le cœur à l'idée qu'elle a pu profiter de mon sommeil pour partir. Je crie :

— Sharon !

Ma voix est telle que ma compagne jaillit de la salle de bains.

— Quoi ? Qu'est-ce qu'il y a ?

Je lui prends la main.

— J'ai eu si peur, chérie...

Je lui explique pourquoi. Elle sourit, émue, et m'embrasse. Puis elle me regarde dans les yeux, en murmurant :

— Patrick Mulcahy qui veut aller jusqu'au bout de son rêve...

Avant le dîner, nous prenons un verre au bar où une sorte de colosse bavarde avec le barman. Cet inconnu a voyagé avec nous dans le car qui nous a menés de Limerick à Athlone. Il n'en faut pas plus pour éveiller une méfiance toujours aux aguets. Le bonhomme a le verbe haut et je n'ai aucun effort à fournir pour écouter ce qu'il raconte. Il parle de chevaux. Cela tombe bien. Je me tourne dans sa direction et, tout en le priant de m'excuser de lui adresser la parole sans lui avoir été présenté, j'avoue que je ne peux entendre parler de chevaux sans être pris d'un furieux désir de me mêler à la conversation. Je déclare que j'ai été élevé en Amérique par un oncle qui possédait un haras. Jovial, le colosse réplique :

— Moi, je me contente de vendre les canassons. Je laisse à d'autres le soin de les élever. Je m'appelle Dermot Creggs.

— Charles Allenwood... Ma femme, Penny.

Il nous serre la main et, incontinent, nous offre une tournée. Nous ne pouvons demeurer en reste. Ce jeu dangereux cesse sur l'injonction de Sharon qui affirme vouloir dîner. Notre nouvel ami mange avec nous. Pendant tout le repas, je lui pose colle sur colle à propos des chevaux et force m'est de reconnaître qu'il en sait autant que moi à ce sujet. Dermot est, sans aucun doute, ce qu'il prétend être. Au café, ma compagne nous quitte un instant pour demander — nous dit-elle — si la lettre qu'elle attend n'est pas arrivée.

Quand sonne l'heure du coucher, nous nous séparons, les meilleurs amis du monde, avec Dermot. Il nous fait ses adieux car il doit partir de bonne heure pour le Donegal. Sharon réplique que nous comptons rester la semaine à Athlone avant de regagner Dublin, ce qui ne manque pas, tout ensemble, de m'étonner et de me réjouir. Sitôt dans notre chambre, je remarque :

— Vous auriez pu me prévenir que nous prenions des vacances à Athlone...

— Nous partons demain matin pour Galway. Pendant que vous discutiez avec votre nouvel ami, je me suis renseignée. Un bus passe à 9 heures.

— Je vous rappelle que nous avons loué une voiture.

— Vous la rendrez avant de quitter Athlone, je préfère l'anonymat des transports en commun.

— Soit, mais je ne comprends toujours pas pourquoi vous avez cru bon de raconter à Creggs que nous demeurions une semaine ici ?

— Pat, ce n'est pas vous qui allez me reprocher de prendre trop de précautions.

Que pouvais-je répondre ? Après notre toilette de nuit et quand nous sommes couchés, je dis :

— Ça me plaît de me rendre à Galway.

— Galway ou ailleurs, cela n'a pas d'importance tant que nous ne serons pas aux Etats-Unis.

— J'aime Galway... Je n'ai pas perdu la mémoire de notre repas de fiançailles. Vous vous souvenez ? J'aimais Oona et j'aime autant Sharon. Un curieux repas, ne trouvez-vous pas ? Sous l'égide de cette hôtesse étrange qui portait le poids douloureux d'un amour raté. Vous jouiez la comédie puisque vous n'étiez pas celle que vous prétendiez être et Marcus se trouvait dans le même cas.

Il s'en faut de peu qu'emporté par ma démonstration, je n'ajoute que j'avais agi comme les deux autres. Je me reprends à temps.

— Est-il indiscret de vouloir savoir ce que nous sommes censés faire à Galway ?

— Pas du tout. Nous nous promènerons. Nous déjeunerons et, à 5 heures, un canot viendra nous prendre pour nous conduire à Inisheer.

— Ainsi en a décidé Dave ?

— Vous avez deviné.

— Et une fois à Inisheer ?

— Nous y rencontrerons Dave quand le moment sera venu.

— Et ce moment aura lieu quand ?

— Quand le cargo qui doit nous emmener sur la côte du Vermont sera suffisamment près pour qu'un canot vienne nous chercher.

— Ainsi, notre escapade irlandaise touche à sa fin ?

— Exact.

Nous étions dans la rue principale d'Athlone, nos bagages à nos pieds, guettant l'arrivée du car devant nous emmener à Galway. Je n'étais pas de très bonne humeur, exaspéré d'être ballotté de-ci, de-là, par la seule volonté de ce Dave qui devait se prendre pour un tacticien de tout premier ordre. S'il comptait me contraindre à une obéissance résignée, il se trompait, et lourdement. Sitôt qu'on se serait écartés des côtes irlandaises, Sharon choisirait, entre lui et moi, celui auquel elle obéirait. Quelque chose me soufflait que ce serait moi. Dans ce cas, on ne ferait que passer dans le Vermont pour mettre le cap sur la Caroline du Sud où je ne connaissais personne et n'étais connu de personne.

Au moment où le bus se présente, nous avons une sacrée émotion. Un policeman fend les rangs des voyageurs qui aspirent à monter dans le véhicule. Je serre frénétiquement la main de Sharon dans la mienne. Le flic passe à nous toucher sans nous prêter la moindre attention. Ayant salué un gentleman déjà sur l'âge, il lui tend une enveloppe et repart, rasséréné.

Maintenant, nous sommes assis côte à côte, Sharon et moi, dans le bus qui nous secoue sur la route de Galway. Nous rions de nos émotions inutiles. Puis subitement, le visage de ma compagne devient grave. Elle me chuchote :

— Pat..., notre peur était due à un réflexe de fugitif. Je crains qu'il en soit longtemps ainsi.

— Quelle idée ! Vous verrez que bientôt...

— Non, Pat. A quoi bon mentir ? J'ai raison et vous le savez.

— Bon, et alors ?

— Je n'ai pas le droit de vous faire partager...

— Ça recommence ? Quand donc comprendrez-vous que pour votre amour, je suis prêt à entrer en guerre avec le monde entier ? En dehors de vous, plus rien n'a d'importance, plus rien n'existe. Enfoncez-vous bien ça dans la tête et cessez de me mettre en colère !

Elle se tait pendant un long moment avant de remarquer :

— Longtemps, je n'ai pas cru que vous m'aimiez vraiment. J'imaginais que vous aviez envie de moi, tout simplement, et que lorsque vous auriez eu ce que vous souhaitiez, nous nous séparerions.

— Eh bien ! vous vous êtes trompée, miss ! Vous le regrettez ?

— Je ne puis répondre encore... Vous compliquez sérieusement ma vie, Pat chéri, mais au fond, j'en suis contente. Quand on est dans la situation où nous nous sommes mis, il est nécessaire de prendre chaque heure comme elle vient et ne rien exiger de plus.

L'autocar nous ayant déposés dans Eyre Square, nous laissons nos bagages à la consigne de la compagnie des bus — sauf la mallette de Sharon qui, sans elle, affirme avoir l'impression d'être nue — et nous partons flâner à travers Galway.

— A quelle heure embarquons-nous ?

— Pas avant 4 heures.

Plus tard, sur le Salmon Weir Bridge, nous croisons une jeune femme qui nous salue. Nous lui rendons son salut en nous demandant qui elle peut être. Sharon trouve la réponse : c'est l'employée du bus qui nous a vendu nos billets.

Vers midi, nous sommes en train d'errer à travers les vieilles rues autour de Shop Street lorsque, au hasard de nos pérégrinations aveugles, nous arrivons devant la maison de Mrs Glenshane. Subitement, pour moi, le temps s'arrête. Le dîner avec Oona et Marcus me semble perdu loin, loin dans le temps. Nous hésitons un instant, Sharon et moi, puis nous nous décidons à entrer. Que craignons-nous ?

En nous reconnaissant, la bonne femme lève les bras au ciel.

— Vous ? C'est vous ! (Elle prend les mains de Sharon dans les siennes.) Vous avez été sage de lui revenir, il vous aime. (Elle se tourne vers moi.) Et l'autre, qu'est-ce que vous en avez fait ?

Je hausse les épaules pour montrer mon indifférence.

— Il mène sa vie comme il l'entend, il ne nous intéresse plus.

— Tant mieux ! Je vais vous préparer un bon lunch tellement je suis contente !

Mrs Glenshane tient parole, et lorsque nous en finissons avec le dessert, la bonne chère nous a plongés dans un climat d'euphorie qui, pour un peu, nous ferait envisager les épreuves maritimes nous attendant comme une partie de plaisir. Sharon se lève de table et m'annonce qu'elle doit procéder à diverses emplettes dont elle aura besoin dans les jours qui suivent. Elle me promet de se dépêcher et de revenir prendre le café avec nous. Mrs Glenshane lui indique les boutiques où elle a intérêt à se rendre. Je suis un peu inquiet mais, en présence de notre hôtesse, je n'ose pas le montrer. Pourtant, comme promis, ma compagne est de retour au bout d'une demi-heure et, ayant bu le café, nous prenons congé de Mrs Glenshane qui nous souhaite bonne chance.

Sharon et moi recommençons notre périple à travers Galway jusqu'à ce que sonne l'heure de notre rendez-vous. Nous gagnons l'extrémité du quai, là où pourrissent les vieilles barques. Sharon, témoignant d'une autorité soudaine, regarde autour d'elle et se hâte vers un marin portant un ciré jaune. Je la vois discuter un moment avant de revenir vers moi.

— En route, Pat. C'est lui qui doit nous mener à Inisheer.

Au moment de mettre le pied dans le canot, je ne peux m'empêcher d'être très ému. Jamais, je n'aurais cru quitter l'Irlande de cette façon. L'amour nous oblige à emprunter d'étranges chemins. Les vagues de l'Océan sont dures et nous sommes très secoués dans cette traversée qui me semble ne pas devoir se terminer. Nous croisons par deux fois des bateaux revenant d'Inishmore et le cap que nous suivons paraît susciter pas mal de commentaires parmi les équipages rencontrés.

Enfin, nous abordons la côte de la plus petite des îles d'Aran. Sharon remet une enveloppe au patron qui nous a amenés et le canot repart vers Galway. Ma compagne m'avertit :

— Nous avons deux miles à faire à pied. D'accord ?

— Pourquoi pas ?

Et nous voilà partis, luttant contre un vent marin qui nous laisse du sel sur les lèvres. Nous mettons plus d'une heure pour couvrir la distance. J'enrage de constater que Sharon a l'air de souffrir moins que moi. Elle me déclare :

— C'est là.

Nous surplombons de peu une crique rocheuse où une embarcation de taille réduite peut se glisser, à condition d'être dirigée par quelqu'un de fort expert dans les choses de la mer.

— Il n'y a plus qu'à attendre.

Nous nous installons tant bien que mal en nous mettant le plus possible à l'abri du vent.

— Pat, il est encore temps.

— De quoi ?

— De retourner sur vos pas et d'échapper ainsi à cette existence de hors-la-loi qui nous est promise, à mon frère et à moi.

— Plus rien ni personne ne saurait m'obliger à vous quitter. Ne revenons plus jamais là-dessus.

Elle pousse un soupir résigné.

Une heure passe et nous commençons à être transis. Soudain, Sharon, portant un doigt à ses lèvres pour réclamer le silence, me chuchote :

— Ecoutez !

Je prête l'oreille et j'attrape le teuf-teuf régulier d'une embarcation venant droit sur nous du South Sound, le chenal séparant l'île où nous nous trouvons de la côte du comté de Clare. Nous ne parlons plus. Nous nous regardons, Sharon et moi. Puis, elle murmure :

— Patrick...

J'ai la gorge trop serrée pour répondre. Elle s'approche et je sens la chaleur de ses lèvres sur les miennes. Je veux la prendre dans mes bras, mais elle s'écarte :

— Il est encore temps... Partez... vite ! Partez !

— Non !

Maintenant, nous voyons le canot qui entre dans la crique. Il n'y a qu'un seul homme à bord et je sais qu'il s'agit de Dave. Il se dresse, attache le bateau et entreprend de monter vers nous. Bientôt il est là. A ma vue, il marque un léger temps d'arrêt et interroge Sharon.

— Pourquoi ?

— Il n'a pas voulu me quitter.

— Parce que ?

— Parce qu'il m'aime.

— Parce qu'il... (Il éclate de rire.) C'est la meilleure !... Ecoutez, mon vieux, vous aimez Sharon, c'est très bien et vous lui avez rendu un très grand service dont je vous suis reconnaissant. Maintenant, le jeu est fini et il faut rentrer chez vous.

— Impossible !

— Ah ?

— Sharon a accepté de m'épouser.

— Cela m'étonnerait. Sharon ne peut pas plus vous épouser que n'importe qui d'autre.

— Tiens donc ! et pour quelles raisons ? je vous prie ?

— Parce qu'elle est ma femme depuis quatre ans.

Le paysage se met à tourner autour de moi. Sharon m'a menti ! Sharon m'a trompé ! La garce ! J'avance vers elle, je ne sais pourquoi... si ! pour la frapper. Elle pleure et quand je suis à la toucher, elle murmure :

— Pardon, Pat.

— Toute ma vie, Sharon, toute ma vie...

— Pardon.

— Cette comédie... Vous avez dû bien rire !

— Sûrement pas !

— Alors, vous vous figurez que je vais vous regarder partir et retourner à Galway, comme au terme d'une partie de campagne ?

Dave intervient.

— Qu'espérez-vous ?

— Vous empêcher de filer !

— Ne m'obligez pas à me fâcher !

— Vous ne me faites pas peur !

Il hausse les épaules et, me négligeant, ordonne :

— Descends, Sharon.

J'attrape la jeune femme par le bras et la retiens. Elle ne tente pas de se dégager et se contente de me supplier :

— Laissez-moi partir, Pat.

— Non, non et non !

— C'est terminé, oui ? s'énerve Dave. Vous, si vous refusez de partir, vous resterez ici !

Il sort un revolver de sa poche et le braque sur moi.

— Partez !

— Non !

Il s'apprête à tirer. Sharon lui empoigne le bras. Il la repousse brutalement.

— Ne soyez pas stupide, Sharon !

Celle-ci me supplie :

— Partez, Pat ! Je vous en conjure, partez !

— Tant pis pour vous, vous l'aurez cherché !

Dave tire. J'ai l'impression de recevoir un terrible coup de poing dans la poitrine. Ma vue se brouille. J'aperçois dans une brume Sharon qui se jette sur son mari et j'entends un ordre crié par une voix dont je reconnais le timbre :

— Jetez votre arme !

En réponse, Dave tire tandis que je tombe sur les genoux. Un crépitement de coups de feu et Dave s'effondre d'un coup. Sharon s'affaisse doucement. Quand je vois le sang qui macule son corsage, je réussis à crier. Marcus ramasse la jolie petite valise de cuir noir, vient vers moi et me lance :

— Alors, vous êtes content de vous ?

— Pour... pourquoi, elle ?

— A cause de ça !

Il ouvre sous mes yeux la mallette de Sharon et avant de m'évanouir, je vois des paquets de livres sterling. Dans le brouillard où je m'enfonce, j'entends encore :

— Les 30 000 livres de Fenham.

J'ai mis six semaines à me sortir d'affaire. La balle de Dave m'a traversé la poitrine et m'a frôlé le cœur. J'ai été remarquablement soigné et je le regrette car il y a un tel chagrin en moi que je n'ai plus envie de vivre. Peu m'importe que j'aie été dupé, roulé, moqué. Je n'ai plus une once de vanité — en ai-je jamais eu ? Mais mon amour, qui me le rendra ? Comment Sharon n'a-t-elle pas compris que ma tendresse pour elle était si profonde qu'elle se situait bien au-dessus des lois ? Je me fichais qu'elle ait été complice d'un meurtre, auteur d'un vol ! Ma Sharon à moi n'a plus rien de commun avec la femme que Marcus et les policiers irlandais ont abattue dans les rochers d'Inisheer.

Quand on m'a annoncé que j'entrais en convalescence et que je pouvais envisager mon retour aux U.S.A., Lodge est venu me voir. Je lui sus gré de n'apporter ni fleurs ni livres. Entre lui et moi, il y aura toujours le cadavre de Sharon. Il est entré, m'a demandé si j'acceptais d'avoir une conversation avec lui et, sur ma réponse approbative, il a pris une chaise et s'y est installé.

— J'ai appris avec joie votre guérison et que vous ne garderez que peu de séquelles de votre grave blessure.

— Apparemment, non. Toutefois, il y a des plaies qui ne se voient pas et qui ne guériront, sans doute, jamais...

— Le temps...

— Gardez cette consolation idiote pour d'autres !

— Vous me haïssez, n'est-ce pas ?

— Profondément.

— Pourtant, je devais remplir mon devoir.

— Tous les mots que vous pourriez employer

n'ont aucun sens en regard de mon amour pour Sharon.

— Cependant, elle vous a menti ?

— Cela m'est égal.

— C'était une voleuse.

— Et puis après ?

— Sans doute la complice d'un assassin.

— Pas ma Sharon à moi, celle que vous ne connaissez pas, celle que je suis le seul à connaître.

Il se fit un long silence avant que Marcus ne remarque :

— Mon vrai remords est de n'avoir pas tenté de vous ouvrir les yeux tout de suite, à Leenan. Mais vous ne m'auriez pas cru.

— Vous avez abusé de ma confiance !

— Mon métier n'est pas un métier pour gentlemen. D'ailleurs, vous le savez, pour l'avoir exercé vous-même.

— Inutile de me le rappeler.

Je me retourne dans mon lit pour ne plus le voir, mais se souciant peu de mon silence, il s'embarque dans un monologue qui m'humilie à l'extrême car il tend à prouver que je me suis conduit en parfait imbécile.

— Avoir arrêté Sharon ne servait à rien tant que je n'aurais pas retrouvé les 30 000 livres volées. Or, il m'apparaissait évident que Dave ignorait l'endroit où elle les avait cachées. Il fallait donc que, d'une manière ou d'une autre, elle nous y conduisît. C'est alors que vous êtes arrivé à Dublin, preux chevalier soucieux de délivrer sa belle. Au même moment, par un indicateur, nous avons appris que Dave cherchait une femme du milieu pour tenter de faire évader son amie. Nous lui avons fourni la personne qu'il désirait. Il sera mort sans se douter du tour que je lui ai joué. C'est notre agent qui a conseillé à Dave d'appliquer le plan que nous, nous avions mis au point. Nous écartâmes les infirmières et les gardiens se laissèrent volontiers abuser. Votre ligne, Pat, était sur écoute. En effet, j'étais persuadé que la fugitive — dont le refuge nous était connu — ou son amant vous appellerait au secours. Nous étions au rendez-vous que vous fixa Dave dans St. Stephen's Green. Naturellement, nous n'avons pas pu entendre votre conversation, aussi on a attaché quelqu'un à vos pas en utilisant la vieille tactique du leurre. Tandis qu'un policier surveillait ostensiblement l'entrée de l'hôtel, un autre vous attendait à la porte de service, renseigné par l'employé de la réception.

Je tremblais de rage en apprenant combien j'avais été facilement roulé. De quoi faire rire la C.I.A. pendant un mois si, par malheur, elle devait être mise au courant.

— Dans le car qui vous emmenait à Killarney, vous vous êtes méfié d'un vieux médecin à la retraite et pas du tout de cette demoiselle excentrique s'en prenant au chauffeur sur sa manière de conduire. Elle se faisait remarquer pour éteindre toutes les méfiances. C'était elle, notre agent, qui n'eut qu'à se présenter à la réception de l'hôtel où vous étiez descendus pour connaître votre prochaine étape. D'un autre côté, nous vous intoxiquions en passant des communiqués mensongers aux journaux. En tentant de vous persuader que nous nous égarions complètement, nous voulions vous donner confiance, vous rendre moins soupçonneux... Durant votre voyage à Limerick, notre homme, déguisé en curé, ne vous a guère quittés et, à Athlone, un policeman en civil a passé une excellente soirée au bar de votre hôtel à parler chevaux. Le matin de votre départ, un autre policeman, revêtu de son uniforme celui-là, a joué, à votre intention, un petit sketch qui vous a désigné l'inspecteur qui vous accompagnerait. Ainsi, vous ne pouviez vous méfier de celui qui était réellement chargé de ne pas vous quitter.

J'avais été possédé totalement.

— A Galway, c'est Sharon qui vous a roulé. Je ne sais de quelle façon elle s'y est prise pour vous convaincre de ne pas l'accompagner.

Je le savais, moi, hélas !...

— ... en tout cas, ayant quitté le restaurant, elle a filé à la consigne de la gare des autobus où elle a retiré une mallette semblable à celle qu'elle portait depuis votre départ de Dublin et y a laissé celle-ci. Nous aurions pu l'arrêter à ce moment-là, mais nous voulions Dave, vraisemblablement le meurtrier de Fenham. Nous vous avons vus embarquer et nous avons appris par les flâneurs du quai que vous partiez pour Inisheer. Nous avons réquisitionné un canot puissant et nous sommes allés aborder sur la côte de l'île regardant Galway ; après, nous avons foncé vers vous. Nous sommes arrivés juste un peu tard. Quand Dave a tiré sur vous, nous avons fait feu. Je regrette pour Sharon. Si elle ne s'était pas jetée en avant, sans doute pour vous protéger, elle n'aurait pas été touchée. Seulement, elle aurait passé tant et tant d'années en prison... Cela vaut peut-être mieux pour elle qu'elle soit morte en pleine jeunesse.

Je l'entends se lever.

— Nous ne nous reverrons plus, Pat. Je ne pense pas que vous acceptiez de me serrer la main ?

Je ne bouge pas.

— Tant pis. Je vous souhaite, quand même, bonne chance. A propos, je n'ai jamais envoyé la lettre que vous adressiez à Rosemary. Ignorant tout de vos amours malheureuses, elle croit que vous avez été blessé en service commandé. Votre oncle aussi le croit. A Washington, on vous tient pour une sorte de héros.

Un héros ? un con, oui !

CHAPITRE VI

Il y a maintenant deux ans que j'ai épousé Rosemary, que je vis à Mayoworth et que j'élève des chevaux.

Sur l'aérodrome Kennedy, à New York, prévenue par Lodge, Rosemary était là. Grande, forte, saine, un bon sourire sur son beau visage. Elle s'est approchée de moi, m'a embrassé et, prenant ma main dans la sienne, elle a seulement dit :

— Maintenant, on rentre à la maison.

Je me suis laissé faire, d'abord parce que j'aime bien Rosemary, ensuite parce qu'une fois que ma main a été dans la sienne, j'ai compris que je ne risquais plus rien. A la grande joie de mes parents, nous nous sommes mariés très vite et nous avons ôté les barrières séparant nos propriétés. Nous possédons, désormais, le plus bel élevage du comté. Notre fils, Liam, est âgé de dix mois. Tout le monde nous envie. On répète partout que je suis l'homme le plus heureux de Mayoworth. C'est presque vrai.

Presque...

Ici, ils n'ont pas entendu parler de Sharon et ils n'en entendront jamais parler. Il n'y a que Lodge et moi qui savons, mais nous ne nous reverrons plus.

Si les autres, tous les autres étaient au courant, ils

ricaneraient et, comme Marcus Lodge, ils tenteraient de me convaincre — en s'appuyant sur les événements passés — que Sharon ne m'aimait pas, qu'elle ne m'a jamais aimé, que je n'ai été qu'un pion dans le jeu qu'elle menait pour le compte de Dave. Ils se tromperaient tous, comme s'est trompé Marcus Lodge. Moi seul sais que Sharon m'aimait autant que je l'aimais. Moi seul ai vu couler ses larmes quand il a fallu que j'apprenne la vérité. Moi seul sais que je lui dois la vie... Moi seul sais que ce sang fleurissant son corsage était la preuve de sa tendresse.

Quand ma charge est trop lourde, je m'écarte de ma ferme et je gagne une grange abandonnée. Je m'installe dans un coin et, quel que soit le temps, je n'ai qu'à fermer les yeux pour qu'aussitôt le vent marin de la baie de Killary vienne baigner mon front et que je sente sur mes lèvres ce premier baiser salé que Sharon, parmi les rochers, m'a donné. Sous mes paupières closes danse alors le joli visage de ma belle Irlandaise.

Il y dansera jusqu'à ce que Dieu me permette de la retrouver.

Romans d'Exbrayat

(Masque et Club des Masques)

	Masque	Club des masques
Aimez-vous la pizza ?	700	55
Amour et sparadrap	680	21
Les amours auvergnates	1001	506
Les amoureux de Léningrad	1061	157
Au " Trois Cassoulets "	1154	229
Avanti la musica	715	43
La balade de Jenny Plumpett	1481	
Barthélemy et sa colère	854	354
La belle Véronaise	1210	268
Les blondes et papa	727	126
Bye, bye, chérie	1330	
Caroline sur son banc	1556	
Ce mort que nul n'aimait	625	133
Ces sacrées Florentines	1046	147
C'est pas Dieu possible	1308	544
Cet imbécile de Ludovic	674	85
Chant funèbre pour un gitan	1012	145
Le château des amours mortes	1608	
Chewing-gum et spaghetti	665	12
Chianti et Coca Cola	897	33
Le clan Morembert	1098	520
Le colonel est retourné chez lui	875	170
Les dames du Creusot	904	398
Le dernier des salauds	958	454
Des amours compliquées	1457	
Des demoiselles imprudentes	721	369
Des filles si tranquilles	1123	529
Deux enfants tristes	1423	555
Dors tranquille, Katherine	762	286
Les douceurs provinciales	1744	51
Elle avait trop de mémoire	583	27
En souvenir d'Alice	1469	
Encore vous, Imogène ?	753	118
Espion où es-tu ? M'entends-tu ?	1761	98
Et qu'ça saute !	1751	106
Félicité de la Croix-Rousse	1033	215
Les fiançailles d'Imogène	1176	197
Les filles de Folignazzaro	797	360
Fini de rire, fillette	1512	
La haine est ma compagne	1634	
L'honneur de Barberine	1741	
La honte de la famille	831	478

	Masque	Club des masques
Il faut chanter, Isabelle	992	498
Imogène est de retour	706	110
Imogène et la veuve blanche	1406	
Imogène, vous êtes impossible	801	140
L'inspecteur mourra seul	638	19
J'aimais bien Rowena	1345	
Joyeux Noël, Tony	1768	63
Ma belle Irlandaise	1719	
Mandolines et barbouzes		80
Marie de nos vingt ans	1380	
Méfie-toi, Gone !	741	67
Les menteuses	1141	223
Les messieurs de Delft	839	312
Mets tes pantoufles, Romeo	1713	
Mortimer, comment osez-vous ?	969	294
Ne vous fâchez pas, Imogène	647	75
Le nez dans la luzerne	1597	
Notre Imogène	1070	165
La nuit de Santa Cruz	592	378
Olé ! toréro	788	303
On se reverra, petite	824	47
Le petit fantôme de Canterbury	1392	
La petite fille à la fenêtre	1188	239
Plaies et bosses	919	59
Le plus beau des Bersagliers	779	88
La plus jolie des garces	1728	
Porridge et polenta	1291	345
Pour Belinda	975	393
Pour ses beaux yeux	1167	542
Pourquoi tuer le pépé ?	1220	256
Le quadrille de Bologne		102
Quand Mario reviendra	1240	318
Quel gâchis, inspecteur	814	39
Qui veut affoler Martine ?	1278	336
Le quintette de Bergame	978	181
Le sage de Sauvenat	1667	
Sainte Crapule	1256	327
Le temps se gâte à Zakopane		92
Ton amour et ma jeunesse	1227	247
Tout le monde l'aimait	1086	205
Trahisons en tout genre	1566	
Tu n'aurais pas dû, Marguerite	1430	
Un bien bel homme	1116	277
Un cœur d'artichaut	1536	487
Un garçon sans malice	1782	
Un joli petit coin pour mourir	1020	190
Une brune aux yeux bleus	935	71
Une petite morte de rien du tout	893	414
Une ravissante idiote		114
Une vieille tendresse	1645	
Vous auriez pas vu la Jeanne, des fois ?	1755	
Vous manquez de tenue, Archibald	872	384
Vous souvenez-vous de Paco ?	616	5
Le voyage inutile	925	441

IMPRIMÉ EN FRANCE PAR BRODARD ET TAUPIN
Usine de La Flèche (Sarthe).
ISBN : 2 - 7024 - 2511 - 9
ISSN : 0768 - 1070